ALAIN-RENÉ LESAGE

HISTOIRE DE GIL BLAS DE SANTILLANE

PAR

ALAIN-RENÉ LESAGE

ABRIDGED AND EDITED WITH EXERCISES,
NOTES AND VOCABULARY

BY

JOSEPH F. JACKSON, Ph.D.

ASSISTANT PROFESSOR OF FRENCH
IN YALE UNIVERSITY

ILLUSTRATED BY
KURT WIESE

D. C. HEATH AND COMPANY

BOSTON   NEW YORK   CHICAGO   LONDON
ATLANTA   DALLAS   SAN FRANCISCO

PRINTED IN U.S.A.

FOREWORD

Gil Blas, a vivid account of the life of an adventurous Spanish youth, has always been tremendously popular for intermediate reading in High Schools and Colleges. The episodes, following swiftly one upon another, form a series of distinct scenes which hold the interest of the student, whereas a long, connected narrative, doled out piecemeal in class, is apt to deaden his enthusiasm.

From the teacher's point of view the book is most valuable. It is written in a remarkably clear and simple style. In general, each episode or chapter can be covered intensively in one assignment. Throughout, the hero speaks in the first person. In answering questions based on the text, the student can thus be required to substitute the third person for the first person; this provides an extremely useful drill in the use of verbs and personal pronouns.

The text is followed by a Questionnaire, Exercises, Notes, and a French-English Vocabulary. The Questionnaire, while extensive, is by no means exhaustive. It is intended merely to suggest the type of question the class will be required to answer if the book is used for composition or conversation. The Exercises, which afford a basis for grammar review, do not follow any fixed scheme, but depend on the material furnished by each chapter. The Notes are relatively few, as the language is simple and allusions are rare. Idiomatic expressions will be found in the Vocabulary. Since some knowledge of French is presupposed for the study of *Gil Blas*, articles, pronouns, common prepositions and words which are identical in French and English are generally omitted. An attempt has been made to include a distinctive form of the article with nouns in order to facilitate the learning of genders.

iii

28,013

This text of *Gil Blas* is, of course, greatly abridged. Some
slight changes have been made to meet the demands of modern
usage and to adapt the work to use in the classroom.

YALE UNIVERSITY   J. F. J.
    March, 1929

CONTENTS

INTRODUCTION

ALAIN-RENÉ Lesage was born in Sarzeau (Brittany) in 1668, of middle-class parents. At an early age he went to Paris in order to complete his education. He studied law and was admitted to the bar in 1692; but he soon forsook the legal profession to live by his pen. Following the advice of the Abbé de Lyonne, who procured a pension for him, Lesage became interested in Spanish literature, beginning his literary career with translations. He first attracted attention in 1707 with a short play, *Crispin rival de son maître*, and a novel, *Le Diable boiteux*. His theatrical masterpiece, *Turcaret, ou le financier*, a play in five acts, made him famous (1709). The first two parts of the novel, *Histoire de Gil Blas de Santillane*, were published in 1715, sequels appearing in 1724 and 1735. Besides his novels and translations, Lesage wrote over a hundred plays. When his literary vein was exhausted, he retired to Boulogne-sur-Mer, where he died in 1747.

Lesage is one of the first professional men of letters; he supported a wife and four children with the proceeds of his writings. His works, which conformed to no accepted literary tradition, shocked the classicists of his time, Boileau and J.-B. Rousseau among others. *Turcaret*, a violent satire on financiers, displeased a group of powerful men who succeeded in closing the doors of the Comédie-Française to the author. Thereupon he began to write for the popular theaters, the Foire Saint-Laurent and the Foire Saint-Germain. Lesage has been called the successor of Molière; together with Marivaux and Beaumarchais he is one of the principal comic dramatists of the eighteenth century.

Although a playwright by vocation, Lesage is known particularly for his novel, *Gil Blas*, which has been universally acclaimed as a masterpiece. The author's dramatic instinct has stood him in good stead as a novelist. By suppressing descriptions and using a vivid, direct style, he focuses the reader's attention upon his characters, who seem to be really talking and acting. Gil Blas is no mere puppet gesticulating upon the stage of the Spain of Philip III and Philip IV; he is a living being. There is little analysis, a gesture or a monologue revealing the characters' thoughts and emotions. The introduction of characteristics observed in contemporary French society lends to *Gil Blas* an air of reality which has led critics to hail it as the first *roman de mœurs*, ancestor of the modern realistic novel. But here there is a fundamental difference to point out: a realist, such as Balzac or Flaubert, delights in describing minutely the *milieu*, while Lesage scorns and even ridicules elaborate descriptions.

Gil Blas is known as a *roman à tiroirs*, that is, a novel whose various parts have practically no interrelation. In an effort to conceal this lack of composition, Lesage reintroduces characters who have appeared in the early scenes, thus providing connecting links for the different episodes, but the real unity of the work lies in the personality of the hero himself.

By carefully correcting successive editions of his writings, Lesage achieved a brilliant yet facile style which has been compared to Voltaire's. The reproach has been made that Lesage lacked originality, that he borrowed such of his subject matter from Spanish literature. It has been claimed that *Le Diable boiteux* is merely a translation and an adaptation of a work by Guevara, *El Diablo cojuelo*, and it was not until the latter part of the nineteenth century that the dispute concerning the originality of *Gil Blas* was settled by the eminent critic, Brunetière. If Lesage's inventiveness leaves something to be desired, this defect, if such it may be called, is not without precedent. Like a Chaucer, a Shakespeare or a Molière, he transforms by his genius everything he touches, to such an extent that his work completely eclipses the model. His *Diable boiteux* has saved Guevara from almost certain oblivion.

Being a realist, Lesage strove to reproduce life in all its aspects and, as a result, his work abounds in rascals. Hence the accusation of immorality which has been brought against him. There is certainly no high standard of ethics in his writings. The moral of *Gil Blas*, if there be one, is that we are all more or less imperfect and that perhaps the wisest course is simply to accept life philosophically.

Gil Blas has enjoyed a universal vogue. Among the numerous translations of the novel, we must mention Smollett's English version (1748) and Padre Isla's rendition in Spanish (1787). As the perpetuator of the tradition of *Lazarillo de Tormes* and other picaresque novels, Lesage has exerted a tremendous influence, especially upon such writers as Smollett and Fielding.

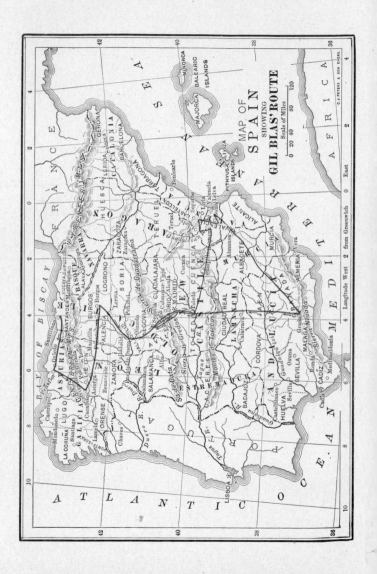

MAP OF
SPAIN
SHOWING
GIL BLAS' ROUTE

Scale of Miles
0 20 40 80 120

C. F. PETERS & SON ENGRS.

GIL BLAS AU LECTEUR

AVANT d'entendre l'histoire de ma vie, écoute, ami lecteur, un conte que je vais te faire.

Deux étudiants allaient ensemble de Peñafiel à Salamanque. Se sentant las et altérés, ils s'arrêtèrent au bord d'une fontaine qu'ils rencontrèrent sur leur chemin. Là, 5 pendant qu'ils se délassaient après s'être désaltérés, ils aperçurent par hasard, auprès d'eux, sur une pierre à fleur de terre, quelques mots déjà un peu effacés par le temps et par les pieds des troupeaux qu'on venait abreuver à cette fontaine. Ils jetèrent de l'eau sur la pierre pour la 10 laver, et ils lurent ces paroles castillanes: *Aquí está encerrada el alma del licenciado Pedro Garcías* (Ici est enfermée l'âme du licencié Pierre Garcias).

Le plus jeune des étudiants, qui était vif et étourdi, n'eut pas achevé de lire l'inscription qu'il dit en riant de 15 toute sa force:

— Rien n'est plus plaisant ! Ici est enfermée l'âme... Une âme enfermée !... Je voudrais savoir quel original a pu faire une si ridicule épitaphe.

En achevant ces mots, il se leva pour s'en aller. Son 20 compagnon, plus judicieux, dit en lui-même:

— Il y a là-dessous quelque mystère, je veux demeurer ici pour l'éclaircir.

Celui-ci laissa donc partir l'autre, et, sans perdre de temps, se mit à creuser avec son couteau tout autour de la 25 pierre. Il fit si bien qu'il l'enleva. Il trouva dessous une bourse de cuir qu'il ouvrit. Il y avait dedans cent ducats,

avec une carte sur laquelle étaient écrites ces paroles en
latin: « Sois mon héritier, toi qui as eu assez d'esprit pour
démêler le sens de l'inscription, et fais un meilleur usage
que moi de mon argent. »

5   L'étudiant, ravi de cette découverte, remit la pierre
comme elle était auparavant et reprit le chemin de Salamanque avec l'âme du licencié.

Qui que tu sois, ami lecteur, tu vas ressembler à l'un ou
à l'autre de ces deux étudiants. Si tu lis mes aventures
10 sans prendre garde aux instructions morales qu'elles
renferment, tu ne tireras aucun fruit de cet ouvrage;
mais, si tu les lis avec attention, tu y trouveras, selon le
précepte d'Horace, l'utile mêlé avec l'agréable.

HISTOIRE DE GIL BLAS
DE SANTILLANE

CHAPITRE I

DE LA NAISSANCE DE GIL BLAS, ET DE SON ÉDUCATION

Blas de Santillane, mon père, après avoir longtemps porté les armes pour le service de la monarchie espagnole, se retira dans la ville où il était né. Il y épousa une petite bourgeoise qui n'était plus dans sa première jeunesse. Ils allèrent ensuite demeurer à Oviédo où ils furent obligés de 5 se mettre en condition: ma mère devint femme de chambre, et mon père écuyer.

Comme ils n'avaient pour tout bien que leurs gages, j'aurais couru risque d'être assez mal élevé si je n'eusse pas eu dans la ville un oncle chanoine. Il se nommait Gil 10 Perez. Il était frère aîné de ma mère et mon parrain. Représentez-vous un petit homme haut de trois pieds et demi, extraordinairement gros, avec une tête enfoncée entre les deux épaules: voilà mon oncle. Au reste, c'était un ecclésiastique qui ne songeait qu'à bien vivre, c'est-à- 15 dire qu'à faire bonne chère; et sa prébende, qui n'était pas mauvaise, lui en fournissait les moyens.

Il me prit chez lui dès mon enfance et se chargea de mon éducation. Je lui parus si éveillé qu'il résolut de cultiver mon esprit. Il m'acheta un alphabet et entreprit de 20 m'apprendre lui-même à lire; ce qui ne lui fut pas moins utile qu'à moi; car, en me faisant connaître mes lettres, il

3

se remit à la lecture qu'il avait toujours fort négligée, et, à force de s'y appliquer, il parvint à lire couramment son bréviaire, ce qu'il n'avait jamais fait auparavant.

Il aurait encore bien voulu m'enseigner la langue latine;
5 c'eût été autant d'argent épargné pour lui; mais, hélas! le pauvre Gil Perez! il n'en avait de sa vie su les premiers principes; c'était peut-être (car je n'avance pas cela comme un fait certain) le chanoine le plus ignorant du chapitre.

Il fut donc obligé de me mettre sous la férule du docteur
10 Godinez, qui passait pour le plus habile pédant d'Oviédo. Je profitai si bien des leçons qu'on me donna qu'au bout de cinq à six années j'entendis un peu les auteurs grecs et assez bien les poètes latins. Je m'appliquai aussi à la logique, qui m'apprit à raisonner beaucoup. J'aimais
15 tant la dispute que j'arrêtais les passants, connus ou inconnus, pour leur proposer des arguments.

Je m'acquis par là, dans la ville, la réputation de savant. Mon oncle en fut ravi, parce qu'il fit réflexion que je cesserais bientôt de lui être à charge.

20 — Or çà, Gil Blas, me dit-il un jour, le temps de ton enfance est passé. Tu as déjà dix-sept ans, et te voilà devenu habile garçon: il faut songer à te pousser. Je suis d'avis de t'envoyer à l'université de Salamanque: avec l'esprit que je te vois, tu ne manqueras pas de trouver un
25 bon poste. Je te donnerai quelques ducats pour faire ton voyage, avec ma mule qui vaut bien dix à douze pistoles; tu la vendras à Salamanque, et tu en emploieras l'argent à t'entretenir jusqu'à ce que tu sois placé.

Il ne pouvait rien me proposer qui me fût plus agréable;
30 car je mourais d'envie de voir le pays. Cependant j'eus assez de force sur moi pour cacher ma joie; et lorsqu'il fallut partir, ne paraissant sensible qu'à la douleur de

quitter un oncle à qui j'avais tant d'obligations, j'attendris le bonhomme, qui me donna plus d'argent qu'il ne m'en aurait donné s'il eût pu lire au fond de mon âme.

Avant mon départ, j'allai embrasser mon père et ma mère, qui ne m'épargnèrent pas les remontrances. Ils 5 m'exhortèrent à prier Dieu pour mon oncle, à vivre en honnête homme, à ne point m'engager dans de mauvaises affaires, et, surtout, à ne pas prendre le bien d'autrui. Après qu'ils m'eurent très longtemps harangué, ils me firent présent de leur bénédiction, qui était le seul bien que 10 j'attendais d'eux. Aussitôt je montai sur ma mule et sortis de la ville.

CHAPITRE II

PREMIÈRE AVENTURE DE GIL BLAS

Me voilà donc hors d'Oviédo, sur le chemin de Peñaflor, au milieu de la campagne, maître de mes actions, d'une mauvaise mule et de quarante bons ducats, sans compter 15 quelques réaux que j'avais volés à mon très honoré oncle. La première chose que je fis fut de laisser ma mule aller à discrétion, c'est-à-dire au petit pas. Je lui mis la bride sur le cou, et, tirant de ma poche mes ducats, je commençai à les compter et recompter dans mon chapeau. 20

Je n'étais pas maître de ma joie: je n'avais jamais vu tant d'argent; je ne pouvais me lasser de le regarder et de le manier. Je le comptais peut-être pour la vingtième fois quand tout à coup ma mule, levant la tête et les oreilles, s'arrêta au milieu du grand chemin. Je jugeai que 25 quelque chose l'effrayait; je regardai pour voir ce que ce

pouvait être: j'aperçus sur la terre un chapeau renversé
sur lequel il y avait un rosaire à gros grains, et en même
temps j'entendis une voix lamentable qui prononça ces
paroles:

5   — Monsieur, ayez pitié, de grâce, d'un pauvre soldat
estropié; jetez, s'il vous plaît, quelques pièces d'argent
dans ce chapeau: vous en serez récompensé dans l'autre
monde.

Je tournai aussitôt les yeux du côté d'où partait la voix;
10 je vis au pied d'un buisson, à vingt ou trente pas de moi,
une espèce de soldat qui, sur deux bâtons croisés, appuyait
le bout d'une escopette qui me parut plus longue qu'une
pique, et avec laquelle il me couchait en joue.

A cette vue, qui me fit trembler pour le bien de l'Église,
15 je m'arrêtai tout court; je serrai promptement mes ducats,
je tirai quelques réaux, et, m'approchant du chapeau
disposé à recevoir la charité des fidèles, je les jetai dedans
l'un après l'autre, pour montrer au soldat que j'étais
généreux.

20 Il fut satisfait de ma générosité et me donna autant de
bénédictions que je donnai de coups de pied dans le flanc de
ma mule pour m'éloigner promptement de lui; mais la
maudite bête, trompant mon impatience, n'en alla pas
plus vite: la longue habitude qu'elle avait de marcher pas à
25 pas sous mon oncle lui avait fait perdre l'usage du galop.

Je ne tirai pas de cette aventure un augure trop favorable
pour mon voyage. Je me représentai que je n'étais pas
encore à Salamanque et que je pourrais bien faire une plus
mauvaise rencontre. Mon oncle me parut très imprudent
30 de ne m'avoir pas mis entre les mains d'un muletier.
C'était sans doute ce qu'il aurait dû faire; mais il avait
songé qu'en me donnant sa mule, mon voyage me coûterait

moins; et il avait plus pensé à cela qu'aux périls que je
pouvais courir en chemin. Aussi, pour réparer sa faute, je
résolus, si j'avais le bonheur d'arriver à Peñaflor, d'y
vendre ma mule et de voyager avec un muletier pour aller
à Astorga. 5

CHAPITRE III

GIL BLAS ET LE MAQUIGNON

J'arrivai heureusement à Peñaflor: je m'arrêtai à la
porte d'une hôtellerie d'assez bonne apparence. Je n'eus
pas mis pied à terre que l'hôte vint me recevoir fort civilement. Il détacha lui-même ma valise, la chargea sur ses
épaules et me conduisit à une chambre pendant qu'un de 10
ses valets menait ma mule à l'écurie.

Cet hôte, le plus grand babillard des Asturies, et aussi
prompt à conter sans nécessité ses propres affaires que
curieux de savoir celles d'autrui, m'apprit qu'il se nommait
André Corcuelo; qu'il avait servi longtemps dans les 15
armées du roi en qualité de sergent, et que, depuis quinze
mois, il avait quitté le service pour épouser une fille, qui
faisait valoir le bouchon. Il me dit encore une infinité
d'autres choses que je me serais fort bien passé d'entendre.

Après ces confidences, se croyant en droit de tout exiger 20
de moi, il me demanda d'où je venais, où j'allais, et qui
j'étais. A quoi il me fallut répondre article par article,
parce qu'il accompagnait d'une profonde révérence chaque
question qu'il me faisait, en me priant d'un air si respectueux d'excuser sa curiosité que je ne pouvais me défendre 25
de la satisfaire.

Cela m'engagea dans un long entretien avec lui et me donna lieu de parler du dessein et des raisons que j'avais de me défaire de ma mule pour me mettre entre les mains d'un muletier. Ce qu'il approuva fort, non sans me représenter
5 cependant tous les accidents fâcheux qui pouvaient m'arriver sur la route. Il finit par dire que, si je voulais vendre ma mule, il connaissait un honnête maquignon qui l'achèterait. Je lui dis qu'il me ferait plaisir de l'envoyer chercher: il y alla sur-le-champ lui-même avec empresse-
10 ment.

Il revint bientôt accompagné de son homme, qu'il me présenta, et dont il loua fort la probité. Nous entrâmes tous trois dans la cour, où l'on amena ma mule. On la fit passer et repasser devant le maquignon, qui se mit à
15 l'examiner depuis les pieds jusqu'à la tête. Il ne manqua pas d'en dire beaucoup de mal. J'avoue qu'on ne pouvait en dire beaucoup de bien: mais, quand ç'aurait été la mule du pape, il y aurait trouvé à redire. Il m'assurait donc qu'elle avait tous les défauts du monde; et, pour
20 mieux me le persuader, il en attestait l'hôte, qui sans doute avait ses raisons pour en convenir.

— Eh bien, me dit froidement le maquignon, combien prétendez-vous vendre ce vilain animal-là?

Après l'éloge qu'il en avait fait et l'attestation de
25 Corcuelo, que je croyais homme sincère et bon connaisseur, j'aurais donné ma mule pour rien: c'est pourquoi je dis au marchand que je m'en rapportais à sa bonne foi; qu'il n'avait qu'à priser la bête en conscience et que je m'en tiendrais à la prisée.

30 Alors, faisant l'homme d'honneur, il me répondit qu'en intéressant sa conscience je le prenais par son faible. Ce n'était pas effectivement par son fort, car, au lieu de faire

monter l'estimation à dix ou douze pistoles comme mon oncle, il n'eut pas honte de la fixer à trois ducats, que je reçus avec autant de joie que si j'eusse gagné à ce marché-là.

Après m'être si avantageusement défait de ma mule, l'hôte me mena chez un muletier qui devait partir le lendemain pour Astorga. Ce muletier me dit qu'il partirait avant le jour et qu'il aurait soin de venir me réveiller. Nous convînmes du prix pour le louage d'une mule et pour ma nourriture; et quand tout fut réglé entre nous, je m'en retournai vers l'hôtellerie avec Corcuelo, qui, chemin faisant, se mit à me raconter l'histoire de ce muletier. Il m'apprit tout ce qu'on en disait dans la ville.

Enfin il allait de nouveau m'étourdir de son babil importun, si par bonheur un homme assez bien fait ne fût venu l'interrompre en l'abordant avec beaucoup de civilité. Je les laissai ensemble et continuai mon chemin, sans soupçonner que j'eusse la moindre part à leur entretien.

CHAPITRE IV

UN PARASITE COMPLAISANT

Je demandai à souper dès que je fus dans l'hôtellerie. C'était un jour maigre: on m'accommoda des œufs. Lorsque l'omelette qu'on me faisait fut en état de m'être servie, je m'assis tout seul à une table. Je n'avais pas encore mangé le premier morceau que l'hôte entra, suivi de l'homme qui l'avait arrêté dans la rue. Ce monsieur portait une longue rapière et pouvait bien avoir trente ans. Il s'approcha de moi d'un air empressé.

— Monsieur, me dit-il, je viens d'apprendre que vous
êtes l'illustre Gil Blas de Santillane, l'ornement d'Oviédo et
le flambeau de la philosophie. Est-il bien possible que
vous soyez ce savantissime, ce bel esprit dont la réputation
5 est si grande en ce pays-ci ? Vous ne savez pas, continua-
t-il en s'adressant à l'hôte et à l'hôtesse, vous ne savez pas
ce que vous possédez: vous avez un trésor dans votre
maison; vous voyez dans ce jeune gentilhomme la huitième
merveille du monde.

10   Puis, se tournant de mon côté et me jetant les bras au
cou:

— Excusez mes transports, ajouta-t-il, je ne suis point
maître de la joie que votre présence me cause.

Je ne pus lui répondre sur-le-champ, parce qu'il me
15 tenait si serré que je n'avais pas la respiration libre, et ce
ne fut qu'après que j'eus la tête dégagée de l'embrassade
que je lui dis:

— Je ne croyais pas mon nom connu à Peñaflor, monsieur.

20   — Comment, connu ! reprit-il sur le même ton; nous
tenons registre de tous les grands personnages qui sont à
vingt lieues à la ronde. Vous passez ici pour un prodige, et
je ne doute pas que l'Espagne ne se trouve un jour aussi
vaine de vous avoir produit que la Grèce d'avoir vu naître
25 ses sept sages.

Ces paroles furent suivies d'une nouvelle accolade qu'il
me fallut encore essuyer. Pour peu que j'eusse eu d'expérience, je n'aurais pas été la dupe de ses démonstrations ni
de ses hyperboles; j'aurais bien su, à ses flatteries outrées,
30 que c'était un de ces parasites que l'on trouve dans toutes
les villes, et qui, dès qu'un étranger arrive, s'introduisent
auprès de lui pour remplir leur ventre à ses dépens; mais

ma jeunesse et ma vanité m'en firent juger tout autrement.
Mon admirateur me parut un fort honnête homme, et je
l'invitai à souper avec moi.

— Ah ! très volontiers, s'écria-t-il; je sais trop bon gré
à mon étoile de m'avoir fait rencontrer l'illustre Gil Blas de 5
Santillane pour ne pas jouir de ma bonne fortune le plus
longtemps que je pourrai. Je n'ai pas grand appétit,
poursuivit-il; je vais me mettre à table pour vous tenir
compagnie seulement et je mangerai quelques morceaux
par complaisance. 10

En parlant ainsi, mon panégyriste s'assit vis-à-vis de
moi. On lui apporta un couvert. Il se jeta d'abord sur
l'omelette avec tant d'avidité qu'il semblait n'avoir
mangé de trois jours. A l'air complaisant dont il s'y
prenait, je vis bien qu'elle serait bientôt expédiée. J'en 15
commandai une seconde, qui fut faite si promptement
qu'on nous la servit comme nous achevions, ou plutôt
comme il achevait de manger la première.

Il y procédait pourtant d'une vitesse toujours égale et
trouvait moyen, sans perdre un coup de dent, de me 20
donner louanges sur louanges, ce qui me rendait fort content
de ma petite personne. Il buvait aussi fort souvent;
tantôt c'était à ma santé et tantôt à celle de mon père et
de ma mère, dont il ne pouvait assez vanter le bonheur
d'avoir un fils tel que moi. En même temps il versait du 25
vin dans mon verre et m'excitait à lui faire raison.

Je ne répondais point mal aux santés qu'il me portait;
ce qui, avec ses flatteries, me mit insensiblement de si belle
humeur que, voyant notre seconde omelette à moitié
mangée, je demandai à l'hôte s'il n'avait pas de poisson à 30
nous donner. L'hôtelier, qui, selon toutes les apparences,
s'entendait avec le parasite, me répondit:

—J'ai une truite excellente, mais elle coûtera cher à ceux qui la mangeront; c'est un morceau trop friand pour vous.

— Qu'appelez-vous trop friand? dit alors mon flatteur d'un ton de voix élevé; vous n'y pensez pas, mon ami: apprenez que vous n'avez rien de trop bon pour monsieur Gil Blas de Santillane, qui mérite d'être traité comme un prince.

Je fus bien aise qu'il eût relevé les dernières paroles de l'hôte, et il ne fit en cela que me prévenir. Je m'en sentais offensé et je dis fièrement à Corcuelo:

— Apportez-nous votre truite et ne vous embarrassez pas du reste.

L'hôte, qui ne demandait pas mieux, se mit à l'apprêter et ne tarda guère à nous la servir. A la vue de ce nouveau plat, je vis briller une grande joie dans les yeux du parasite, qui fit paraître une nouvelle complaisance, c'est-à-dire qu'il donna sur le poisson comme il avait donné sur les œufs.

Enfin, après avoir bu et mangé tout son soûl, il voulut finir la comédie.

— Monsieur Gil Blas, me dit-il en se levant de table, je suis trop content de la bonne chère que vous m'avez faite pour vous quitter sans vous donner un avis important dont vous me paraissez avoir besoin. Soyez désormais en garde contre les louanges. Défiez-vous des gens que vous ne connaissez point. Vous pourrez en rencontrer d'autres qui voudront, comme moi, se divertir de votre crédulité et peut-être pousser les choses encore plus loin; n'en soyez pas la dupe et ne vous croyez point, sur leur parole, la huitième merveille du monde.

En achevant ces mots, il me rit au nez et s'en alla.

— Eh quoi ! dis-je, le traître s'est donc joué de moi ? Il n'a tantôt abordé mon hôte que pour lui tirer les vers du nez, ou plutôt ils étaient d'intelligence tous deux. Ah ! pauvre Gil Blas, meurs de honte d'avoir donné à ces fripons un juste sujet de te tourner en ridicule. Ils vont composer 5 de tout ceci une belle histoire qui pourra bien aller jusqu'à Oviédo et qui t'y fera beaucoup d'honneur. Tes parents se repentiront sans doute d'avoir tant harangué un sot: loin de m'exhorter à ne tromper personne, ils auraient dû me recommander de ne pas me laisser duper. 10

Agité de ces pensées mortifiantes, enflammé de dépit, je m'enfermai dans ma chambre et me mis au lit; mais je ne pus dormir, et je n'avais pas encore fermé l'œil lorsque le muletier vint m'avertir qu'il n'attendait plus que moi pour partir. 15

Je me levai aussitôt, et, pendant que je m'habillais, Corcuelo arriva avec sa note, dans laquelle la truite n'était pas oubliée; et non seulement il me fallut en passer par où il voulut, mais j'eus encore le chagrin, en lui livrant mon argent, de m'apercevoir que le bourreau se ressouvenait de 20 mon aventure. Après avoir bien payé un souper dont j'avais fait si désagréablement la digestion, je me rendis chez le muletier avec ma valise, en donnant à tous les diables le parasite, l'hôte et l'hôtellerie.

CHAPITRE V

GIL BLAS TOMBE ENTRE LES MAINS DES VOLEURS

Je ne me trouvai pas seul avec le muletier; il y avait 25 deux enfants de famille de Peñaflor, un petit chantre de Mondoñedo, qui courait le pays, et un jeune bourgeois

d'Astorga qui s'en retournait chez lui avec une jeune personne qu'il venait d'épouser.

En arrivant à Cacabelos, nous descendîmes à la première
hôtellerie en entrant dans le bourg, où le muletier nous
5 laissa souper tranquillement; mais, sur la fin du repas,
nous le vîmes entrer d'un air furieux.

— Par la mort ! s'écria-t-il, on m'a volé. J'avais dans un
sac de cuir cent pistoles; il faut que je les retrouve. Je
vais chez le juge du bourg, qui n'entend pas raillerie là-
10 dessus, et vous allez tous être mis à la torture jusqu'à ce
que vous ayez confessé le crime et rendu l'argent.

En disant cela d'un air fort naturel, il sortit, et nous
demeurâmes dans un extrême étonnement. Il ne nous vint
pas dans l'esprit que ce pouvait être une feinte, parce que
15 nous ne nous connaissions pas assez pour pouvoir répondre
les uns des autres. Je soupçonnai le petit chantre d'avoir
fait le coup, comme il eut peut-être de moi la même pensée.

D'ailleurs, nous étions tous de jeunes sots. Nous ne
savions pas quelles formalités s'observent en pareil cas:
20 nous crûmes de bonne foi qu'on commencerait par nous
mettre au supplice. Aussi, cédant à notre frayeur, nous
sortîmes de la chambre fort brusquement. Les uns gagnent
la rue, les autres le jardin; chacun cherche son salut dans la
fuite.

25 Pour moi, plus épouvanté peut-être que tous les autres,
je gagnai la campagne; je traversai je ne sais combien de
champs et de bruyères, et, sautant tous les fossés que je
trouvai sur mon passage, j'arrivai enfin auprès d'une
forêt. J'allais m'y jeter et me cacher dans le plus épais
30 hallier, lorsque deux hommes à cheval s'offrirent tout à
coup à ma vue.

Ils crièrent: « Qui va là ? » et, comme ma surprise ne me

C'EST ICI QUE NOUS DEMEURONS

permit pas de répondre sur-le-champ, ils s'approchèrent
de moi, et, me mettant chacun un pistolet sur la gorge, ils
me sommèrent de leur apprendre qui j'étais, d'où je venais,
ce que je voulais aller faire dans cette forêt et surtout de ne
5 leur rien cacher.

Je leur répondis que j'étais un jeune homme d'Oviédo
qui allait à Salamanque; je leur contai même l'alarme
qu'on venait de nous donner et j'avouai que la crainte
d'être appliqué à la torture m'avait fait prendre la fuite.
10 Ils éclatèrent de rire à ce discours qui marquait ma simplicité, et l'un des deux me dit:

— Rassure-toi, mon ami; viens avec nous, et ne crains
rien; nous allons te mettre en sûreté.

A ces mots, il me fit monter en croupe sur son cheval, et
15 nous nous enfonçâmes dans la forêt.

Je ne savais ce que je devais penser de cette rencontre;
je n'en augurais pourtant rien de sinistre.

Je ne fus pas longtemps dans l'incertitude. Après
quelques détours, que nous fîmes dans un grand silence,
20 nous nous trouvâmes au pied d'une petite colline, où nous
descendîmes de cheval.

— C'est ici que nous demeurons, me dit un des cavaliers.

J'avais beau regarder de tous côtés, je n'apercevais ni
maison ni cabane, pas la moindre apparence d'habitation.
25 Cependant ces deux hommes levèrent une grande trappe
de bois, couverte de broussailles, qui cachait l'entrée d'une
longue allée en pente et souterraine, où les chevaux se
jetèrent d'eux-mêmes, comme des animaux qui y étaient
accoutumés. Les cavaliers m'y firent entrer avec eux;
30 puis, baissant la trappe avec des cordes qui y étaient
attachées pour cet effet, voilà le digne neveu de mon oncle
Perez pris comme un rat dans une ratière.

CHAPITRE VI

GIL BLAS CHEZ LES VOLEURS

Je compris alors avec quelle sorte de gens j'étais, et une frayeur plus grande et plus juste vint s'emparer de mes sens; je crus que j'allais perdre la vie avec mes ducats. Ainsi, me regardant comme une victime qu'on conduit à l'autel, je marchais, déjà plus mort que vif, entre mes 5 deux conducteurs, qui, sentant bien que je tremblais, m'exhortaient inutilement à ne rien craindre.

Quand nous eûmes fait environ deux cents pas, en tournant et descendant toujours, nous entrâmes dans une écurie qu'éclairaient deux grosses lampes de fer pendues à la 10 voûte. Il y avait une bonne provision de paille et plusieurs tonneaux remplis d'orge. Vingt chevaux pouvaient y tenir à l'aise; mais il n'y avait alors que les deux qui venaient d'arriver. Un vieux nègre, qui paraissait pourtant encore assez vigoureux, se mit à les attacher au râtelier. 15

Nous sortîmes de l'écurie, et, à la triste lueur de quelques autres lampes, qui semblaient n'éclairer ces lieux que pour en montrer l'horreur, nous parvînmes à une cuisine où une vieille femme faisait rôtir des viandes sur un brasier et préparait le souper. La cuisine était ornée des ustensiles 20 nécessaires, et tout auprès on voyait une office pourvue de toutes sortes de provisions.

— Tenez, Léonarde, dit un des cavaliers en me présentant à la vieille cuisinière, voici un jeune garçon que nous vous amenons. 25

Puis il se tourna de mon côté, et, remarquant que j'étais pâle et défait:

— Mon ami, me dit-il, reviens de ta frayeur; on ne veut

te faire aucun mal.   Nous avions besoin d'un valet pour
aider notre cuisinière; nous t'avons rencontré, cela est
heureux pour toi.   Tu tiendras ici la place d'un garçon qui
s'est laissé mourir il y a quinze jours.   C'était un jeune
5 homme d'une complexion délicate.   Tu me parais plus
robuste que lui, tu ne mourras pas si tôt.   Véritablement tu
ne reverras plus le soleil, mais, en revanche, tu feras bonne
chère.   Tu passeras tes jours avec Léonarde, qui est une
créature fort humaine; tu auras toutes tes petites com-
10 modités.   Je veux te faire voir, ajouta-t-il, que tu n'es pas
ici avec des gueux.

En même temps il prit un flambeau et m'ordonna de le
suivre.   Il me mena dans une cave, où je vis une infinité de
bouteilles et de pots de terre bien bouchés, qui étaient
15 pleins, disait-il, d'un vin excellent.   Ensuite il me fit
traverser plusieurs chambres.   Dans les unes il y avait des
pièces de toile; dans les autres, des étoffes de laine et des
étoffes de soie.   J'aperçus dans une autre de l'or et de
l'argent, sans compter beaucoup de vaisselle à diverses
20 armoiries.

Après cela, je le suivis dans un grand salon que trois
lustres de cuivre éclairaient, et qui servait de communication à d'autres chambres.   Il me fit là de nouvelles questions.   Il me demanda comment je m'appelais, pourquoi
25 j'avais quitté Oviédo; et lorsque j'eus satisfait sa curiosité:

— Eh bien ! Gil Blas, me dit-il, puisque tu n'as quitté ta
patrie que pour chercher quelque bon poste, il faut que tu
sois né coiffé pour être tombé entre nos mains.   Je te l'ai
30 déjà dit, tu vivras ici dans l'abondance et rouleras sur
l'or et sur l'argent.   D'ailleurs, tu y seras en sûreté.   Tel
est ce souterrain que les officiers de la gendarmerie vien-

draient cent fois dans cette forêt sans le découvrir. L'entrée n'en est connue que de moi seul et de mes camarades.
Je m'appelle le capitaine Rolando. Je suis chef de la
compagnie, et l'homme que tu as vu avec moi est un de mes
cavaliers. 5

Comme le capitaine Rolando achevait de parler de cette
sorte, il parut dans le salon six nouveaux visages. C'était
le lieutenant avec cinq hommes de la troupe, qui revenaient
chargés de butin. Ils apportaient deux mannequins remplis de sucre, de cannelle, de poivre, de figues, d'amandes et 10
de raisins secs. Le lieutenant adressa la parole au capitaine,
et lui dit qu'il venait d'enlever ces mannequins à un épicier,
dont il avait aussi pris le mulet. Après qu'il eut rendu
compte de son expédition au bureau, les dépouilles de
l'épicier furent portées dans l'office. 15

Alors il ne fut plus question que de se réjouir. On
dressa dans le salon une grande table et l'on me renvoya
dans la cuisine, où la bonne Léonarde m'instruisit de ce
que j'avais à faire. Je cédai à la nécessité, puisque mon
mauvais sort le voulait ainsi, et, dévorant ma douleur, je 20
me préparai à servir ces honnêtes gens.

Je débutai par le buffet, que je parai de tasses d'argent
et de plusieurs bouteilles de terre pleines de ce bon vin que
le capitaine des voleurs m'avait vanté. J'apportai ensuite
deux ragoûts, qui ne furent pas plus tôt servis que tous les 25
voleurs se mirent à table.

Ils commencèrent à manger avec beaucoup d'appétit, et
moi, debout derrière eux, je me tins prêt à leur verser du
vin. Je m'en acquittai de si bonne grâce, quoique je
n'eusse jamais fait ce métier-là, que j'eus le bonheur de 30
m'attirer des compliments.

Le capitaine, en peu de mots, leur conta mon histoire,

qui les divertit fort. Ensuite il leur parla de moi fort
avantageusement, mais j'étais alors revenu des louanges, et
je pouvais en entendre sans péril. Là-dessus ils me lou-
èrent tous. Ils dirent que je paraissais né pour être leur
5 échanson, que je valais cent fois mieux que mon prédécesseur.

Un grand plat de rôti, servi peu de temps après les ragoûts, acheva de rassasier les voleurs, qui, buvant à proportion qu'ils mangeaient, furent bientôt de belle humeur
10 et firent un beau bruit.

Une bonne partie de la nuit se passa ainsi en orgies et en
beaux discours; cependant les voleurs finirent par se
lever de table pour aller se coucher. Ils allumèrent des
bougies et se retirèrent dans leurs chambres. Je suivis le
15 capitaine Rolando dans la sienne, où, pendant que je
l'aidais à se déshabiller, il me dit:

— Eh bien, Gil Blas, tu vois de quelle manière nous
vivons. Nous sommes toujours dans la joie; ni la haine ni
l'envie ne se glissent parmi nous; nous n'avons jamais
20 ensemble le moindre démêlé. Tu vas, mon enfant, poursuivit-il, mener ici une vie agréable, car je ne te crois pas
assez sot pour te faire de la peine d'être avec des voleurs.

CHAPITRE VII

GIL BLAS ESSAIE DE SE SAUVER

Après que le capitaine des voleurs se fut mis au lit, je
retournai dans le salon, où je desservis et remis tout en
25 ordre. J'allai ensuite à la cuisine, où Domingo (c'était le
nom du vieux nègre) et Léonarde soupaient en m'atten-

dant. Quoique je n'eusse point d'appétit, je m'assis auprès
d'eux. Je ne pouvais manger, et, comme je paraissais
aussi triste que j'avais sujet de l'être, ils entreprirent de
me consoler; ce qu'ils firent d'une manière plus propre à
me mettre au désespoir qu'à soulager ma douleur.   5

— Pourquoi vous affligez-vous, mon fils? me dit la
vieille; vous devriez plutôt vous réjouir de vous voir ici.
Vous êtes jeune et vous paraissez facile; vous vous seriez
bientôt perdu dans le monde.

— Léonarde a raison, dit gravement à son tour le vieux 10
nègre, et l'on peut ajouter à cela qu'il n'y a dans le monde
que des peines. Rendez grâces au ciel, mon ami, d'être
tout d'un coup délivré des périls, des embarras et des
afflictions de la vie.

J'essuyai tranquillement ce discours, parce qu'il ne 15
m'eût servi à rien de m'en fâcher. Je ne doute pas même
que, si je me fusse mis en colère, je ne leur eusse prêté à rire.

Enfin Domingo, après avoir bien bu et bien mangé, se
retira dans son écurie. Léonarde prit aussitôt une lampe
et me conduisit dans un caveau qui servait de cimetière 20
aux voleurs qui mouraient de mort naturelle, et où je vis un
grabat qui avait plus l'air d'un tombeau que d'un lit.

— Voilà votre chambre, mon petit poulet, me dit-elle
en me passant la main doucement sous le menton; le
garçon dont vous avez le bonheur d'occuper la place y a 25
couché tant qu'il a vécu parmi nous, et il y repose encore
après sa mort. Il s'est laissé mourir à la fleur de son âge;
ne soyez pas assez simple pour suivre son exemple.

En achevant ces paroles, elle me donna la lampe et
retourna dans sa cuisine. Je posai la lampe à terre et me 30
jetai sur le grabat, moins pour prendre du repos que pour
me livrer tout entier à mes réflexions.

— O ciel ! dis-je, y a-t-il une destinée aussi affreuse que
la mienne ? On veut que je renonce à la vue du soleil, et,
comme si ce n'était pas assez d'être enterré tout vif à dix-
sept ans, il faut encore que je sois réduit à servir des vo-
5 leurs, à passer le jour avec des brigands, et la nuit avec des
morts !

Ces pensées, qui me semblaient très mortifiantes, me
faisaient pleurer amèrement. Je maudis cent fois l'envie
que mon oncle avait eue de m'envoyer à Salamanque; je
10 me repentis d'avoir craint la justice de Cacabelos; j'aurais
voulu être à la torture. Mais, considérant que je me con-
sumais en plaintes vaines, je me mis à rêver aux moyens de
me sauver et je me dis en moi-même:

— Est-il donc impossible de me tirer d'ici ? Les voleurs
15 dorment; la cuisinière et le nègre en feront bientôt autant;
pendant qu'ils seront tous endormis, ne puis-je, avec cette
lampe, trouver l'allée par où je suis descendu dans cet
enfer ? Il est vrai que je ne me crois pas assez fort pour
lever la trappe qui est à l'entrée. Cependant mon déses-
20 poir me prêtera des forces, et j'en viendrai peut-être à bout.

Je me levai quand je jugeai que Léonarde et Domingo
reposaient. Je pris la lampe et sortis du caveau en me
recommandant à tous les saints du paradis. Ce ne fut pas
sans peine que je démêlai les détours de ce nouveau
25 labyrinthe. J'arrivai pourtant à la porte de l'écurie et
j'aperçus enfin l'allée que je cherchais. Je marche, je
m'avance vers la trappe avec une joie mêlée de crainte;
mais, hélas ! au milieu de l'allée je rencontrai une maudite
grille de fer bien fermée, et dont les barreaux étaient si
30 près l'un de l'autre qu'on pouvait à peine y passer la main.

Je me trouvai bien sot à la vue de ce nouvel obstacle dont
je ne m'étais point aperçu en entrant, parce que la grille

était alors ouverte. Je tâtai les barreaux. J'examinai la
serrure; je tâchais même de la forcer, lorsque tout à coup
je me sentis appliquer vigoureusement entre les deux
épaules cinq ou six coups de nerf de bœuf. Je poussai un
cri si perçant que le souterrain en retentit, et, regardant 5
derrière moi, je vis le vieux nègre en chemise, qui d'une
main tenait une lanterne sourde et de l'autre l'instrument
de mon supplice.

— Ah ! ah ! petit drôle, dit-il, vous voulez vous sauver !
Oh ! ne pensez pas que vous puissiez me surprendre; je 10
vous ai bien entendu. Vous avez cru trouver la grille
ouverte, n'est-ce pas ? Apprenez, mon ami, que vous la
trouverez désormais toujours fermée. Quand nous rete-
nons ici quelqu'un malgré lui, il faut qu'il soit plus fin que
vous pour nous échapper. 15

Cependant, au cri que j'avais poussé, deux ou trois
voleurs se réveillèrent en sursaut, et, ne sachant si c'étaient
les gendarmes qui venaient fondre sur eux, ils se levèrent
en appelant à haute voix leurs camarades. En un instant
ils sont tous sur pied. Ils prennent leurs épées et leurs 20
carabines et s'avancent jusqu'à l'endroit où j'étais avec
Domingo. Mais, sitôt qu'ils surent la cause du bruit
qu'ils avaient entendu, leur inquiétude se convertit en
éclats de rire.

— Comment donc, Gil Blas, me dit un des voleurs, il n'y 25
a pas six heures que tu es avec nous, et tu veux déjà t'en
aller ? Tu dois avoir bien de l'aversion pour la retraite.
Eh ! que ferais-tu donc si tu étais chartreux ? Va te coucher. Tu en seras quitte cette fois-ci pour les coups que
Domingo t'a donnés; mais s'il t'arrive jamais de faire un 30
nouvel effort pour te sauver, nous t'écorcherons tout vif.

A ces mots il se retira. Les autres voleurs s'en retour-

nèrent aussi dans leurs chambres, en riant de tout leur
cœur de la tentative que j'avais faite pour leur fausser
compagnie. Le vieux nègre, fort satisfait du rôle qu'il
avait joué, rentra dans son écurie et je regagnai mon
5 cimetière où je passai le reste de la nuit à soupirer et à
pleurer.

CHAPITRE VIII

GIL BLAS FEINT DE SE RÉSIGNER À SON SORT

Je pensai succomber les premiers jours au chagrin qui
me dévorait. Je ne faisais que traîner une vie mourante;
mais enfin mon bon génie m'inspira la pensée de dissimuler.
10 J'affectai de paraître moins triste; je commençai à rire
et à chanter, quoique je n'en eusse aucune envie: en un
mot, je me contraignis si bien que Léonarde et Domingo y
furent trompés. Ils crurent que l'oiseau s'accoutumait à sa
cage. Les voleurs s'imaginèrent la même chose. Je pre-
15 nais un air gai en leur versant à boire et je me mêlais à
leur entretien, quand je trouvais occasion d'y placer quelque plaisanterie. Ma liberté, loin de leur déplaire, les
divertissait.

— Gil Blas, me dit le capitaine un soir que je faisais le
20 plaisant, tu as bien fait, mon ami, de bannir la mélancolie;
je suis charmé de ta gaieté et de ton esprit. On ne connaît
pas d'abord les gens; je ne te croyais pas si spirituel ni si
enjoué.

Les autres me donnèrent aussi mille louanges et m'ex-
25 hortèrent à persister dans les généreux sentiments que je
leur témoignais; enfin ils me parurent si contents de moi
que, profitant d'une si bonne disposition, je leur dis:

— Messieurs, permettez que je vous découvre le fond de
mon âme. Depuis que je demeure ici, je me sens tout
autre que je n'étais auparavant. Vous m'avez défait des
préjugés de mon éducation; j'ai pris insensiblement votre
esprit. J'ai du goût pour votre profession: je meurs 5
d'envie de partager avec vous les périls de vos expéditions.

Toute la compagnie applaudit à ce discours. On loua
ma bonne volonté; puis il fut résolu qu'on me laisserait
servir encore quelque temps pour éprouver ma vocation;
qu'ensuite on me ferait faire ma première campagne; 10
après quoi on m'accorderait la place honorable que je
demandais et qu'on ne pouvait, disait-on, refuser à un
jeune homme qui paraissait d'aussi bonne volonté que moi.

Il fallut donc continuer de me contraindre et d'exercer
mon emploi d'échanson. J'en fus très mortifié, car je 15
n'aspirais à devenir voleur que pour avoir la liberté de
sortir comme les autres, et j'espérais qu'en faisant des
courses avec eux, je leur échapperais quelque jour. Cette
seule espérance soutenait ma vie.

L'attente néanmoins me paraissait longue, et j'essayai 20
plus d'une fois de surprendre la vigilance de Domingo:
mais il n'y eut pas moyen; il était trop sur ses gardes.
Je m'en remettais donc au temps que les voleurs m'avaient
prescrit pour me recevoir dans leur troupe, et je l'attendais
avec la plus grande impatience.   25

Grâces au ciel, six mois après, ce temps arriva. Rolando
dit un soir à ses hommes:

— Messieurs, il faut tenir la parole que nous avons
donnée à Gil Blas. Je suis d'avis que nous le menions demain avec nous se couvrir de gloire sur les grands chemins. 30

Les voleurs furent tous du sentiment de leur capitaine,
et, pour me faire voir qu'ils me regardaient déjà comme un

J'AI DU GOÛT POUR VOTRE PROFESSION

de leurs compagnons, dès ce moment ils me dispensèrent
de les servir. Ils rétablirent Léonarde dans l'emploi qu'on
lui avait ôté pour m'en charger. Ils me firent quitter mon
habillement, qui consistait en une simple soutanelle fort
usée, et ils me parèrent de toute la dépouille d'un gentil- 5
homme nouvellement volé. Après cela, je me disposai à
faire ma première campagne.

CHAPITRE IX

GIL BLAS FAIT SON COUP D'ESSAI

Ce fut sur la fin d'une nuit du mois de septembre que je
sortis du souterrain avec les voleurs. J'étais armé, comme
eux, d'une carabine, de deux pistolets, d'une épée et d'une 10
baïonnette, et je montais un assez bon cheval qu'on avait
pris au même gentilhomme dont je portais les habits. Il y
avait si longtemps que je vivais dans les ténèbres que le
jour naissant ne manqua pas de m'éblouir; mais peu à
peu mes yeux s'accoutumèrent à le souffrir.   15

Nous allâmes nous mettre en embuscade dans un petit
bois qui bordait le grand chemin de Léon, dans un endroit
d'où, sans être vus, nous pouvions voir tous les passants.
Là, nous attendions que la fortune nous offrît quelque bon
coup à faire, quand nous aperçûmes un religieux de l'ordre 20
de Saint-Dominique, monté sur une mauvaise mule.

— Dieu soit loué ! s'écria le capitaine en riant, voilà une
occasion pour Gil Blas de se distinguer. Il faut qu'il aille
détrousser ce moine; voyons comment il s'y prendra.

Tous les voleurs jugèrent qu'effectivement cette com- 25
mission me convenait et ils m'exhortèrent à m'en bien
acquitter.

— Messieurs, leur dis-je, vous serez contents; je vais
dépouiller ce père et vous amener sa mule.

— Non, non, dit Rolando, elle n'en vaut pas la peine:
apporte-nous seulement la bourse de Sa Révérence; c'est
5 tout ce que nous exigeons de toi.

— Je vais donc, repris-je, sous les yeux de mes maîtres,
faire mon coup d'essai; j'espère qu'ils m'honoreront de
leurs suffrages.

Là-dessus je sortis du bois et poussai vers le religieux en
10 priant le ciel de me pardonner l'action que j'allais faire;
car il n'y avait pas assez longtemps que j'étais avec ces
brigands pour la faire sans répugnance. J'aurais bien
voulu m'échapper dès ce moment-là; mais la plupart des
voleurs étaient encore mieux montés que moi: s'ils
15 m'eussent vu fuir, ils se seraient mis à mes trousses et
m'auraient bientôt rattrapé, ou peut-être m'auraient-ils
tué d'un coup de feu.

Je n'osai donc hasarder une démarche si délicate. Je
joignis le père et lui demandai la bourse en lui présentant
20 le bout d'un pistolet. Il s'arrêta tout court pour me considérer, et, sans paraître effrayé, il me dit:

— Mon enfant, vous êtes bien jeune; vous faites de
bonne heure un vilain métier.

— Mon père, lui répondis-je, tout vilain qu'il est, je
25 voudrais l'avoir commencé plus tôt.

— Ah! mon fils, répliqua le bon religieux, que dites-
vous? quel aveuglement! souffrez que je vous représente
l'état malheureux. . . .

— Oh! mon père, interrompis-je avec précipitation,
30 trêve de morale, s'il vous plaît; je ne viens pas sur les grands
chemins pour entendre des sermons: il ne s'agit point de
cela. Je veux de l'argent.

— De l'argent ? me dit-il d'un air étonné; vous jugez bien mal de la charité des Espagnols, si vous croyez que les personnes de mon caractère aient besoin d'argent pour voyager en Espagne. Détrompez-vous. On nous reçoit agréablement partout; on nous loge, on nous nourrit, et 5 l'on ne nous demande pour cela que des prières. Enfin nous ne portons point d'argent sur la route, nous nous abandonnons à la Providence.

— Mon père, lui repartis-je, finissons: mes camarades, qui sont dans ce bois, s'impatientent; jetez tout de suite 10 votre bourse à terre, ou bien je vous tue.

A ces mots, que je prononçai d'un air menaçant, le religieux sembla craindre pour sa vie.

— Attendez, me dit-il; je vais donc vous satisfaire, puisqu'il le faut absolument. Je vois bien qu'avec vous 15 autres les figures de rhétorique sont inutiles.

En disant cela, il tira de dessous sa robe une grosse bourse de peau de chamois, qu'il laissa tomber à terre. Alors je lui dis qu'il pouvait continuer son chemin, ce qu'il ne me donna pas la peine de répéter. Il pressa les flancs de sa mule, qui, 20 démentant l'opinion que j'avais d'elle, car je ne la croyais pas meilleure que celle de mon oncle, prit tout à coup un assez bon train.

Pendant qu'il s'éloignait, je mis pied à terre. Je ramassai la bourse, qui me parut pesante. Je remontai sur ma bête 25 et regagnai promptement le bois, où les voleurs, qui avaient toujours eu les yeux sur moi, m'attendaient avec impatience pour me féliciter, comme si la victoire que je venais de remporter m'eût coûté beaucoup. A peine me donnèrent-ils le temps de descendre de cheval, tant ils s'empressaient 30 de m'embrasser.

— Courage, Gil Blas, me dit Rolando; tu viens de faire

des merveilles. J'ai eu les yeux arrêtés sur toi pendant ton
expédition; j'ai observé ta contenance; je te prédis que tu
deviendras un excellent voleur de grands chemins, ou je ne
m'y connais pas.

5   Le lieutenant et les autres applaudirent à la prédiction et
m'assurèrent que je ne pouvais manquer de l'accomplir
quelque jour. Je les remerciai de la haute idée qu'ils
avaient de moi et leur promis de faire tous mes efforts pour
la soutenir.

10   Après qu'ils m'eurent d'autant plus loué que je méritais
moins de l'être, il leur prit envie d'examiner le butin dont
je revenais chargé.

— Voyons, dirent-ils, voyons ce qu'il y a dans la bourse
du religieux.

15   — Elle doit être bien garnie, continua l'un d'entre eux,
car ces bons pères ne voyagent pas en pèlerins.

Le capitaine délia la bourse, l'ouvrit et en tira deux ou
trois poignées de petites médailles de cuivre avec quelques
scapulaires. A la vue d'un larcin si nouveau, tous les
20 voleurs éclatèrent en rires immodérés.

— Vive Dieu ! s'écria le lieutenant, nous avons bien de
l'obligation à Gil Blas. Il vient, pour son coup d'essai, de
faire un vol fort salutaire à la compagnie.

Cette plaisanterie en attira d'autres. Chacun me lança
25 son trait, et le capitaine me dit:

— Ma foi, Gil Blas, je te conseille en ami de ne plus te
jouer aux moines; ce sont des gens trop fins pour toi.

CHAPITRE X

L'ATTAQUE DU CARROSSE

Nous demeurâmes dans le bois la plus grande partie de la journée, sans apercevoir aucun voyageur qui pût payer pour le religieux. Enfin nous en sortîmes pour retourner au souterrain, bornant nos exploits à ce risible événement, qui faisait encore le sujet de notre entretien lorsque nous découvrîmes de loin un carrosse à quatre mules.

Il venait à nous au grand trot et il était accompagné de trois hommes à cheval, qui me parurent bien armés et bien disposés à nous recevoir si nous étions assez hardis pour les attaquer. Rolando fit faire halte à la troupe pour tenir conseil là-dessus, et le résultat fut qu'on attaquerait. Aussitôt il nous rangea de la manière qu'il voulut, et nous marchâmes en bataille au-devant du carrosse.

Malgré les applaudissements que j'avais reçus dans le bois, je me sentis saisi d'un grand tremblement, et bientôt il sortit de tout mon corps une sueur froide, qui ne me présageait rien de bon. Pour surcroît de bonheur, j'étais au front de la bataille, entre le capitaine et le lieutenant, qui m'avaient placé là pour m'accoutumer au feu tout d'un coup. Rolando, remarquant mon émotion, me regarda de travers et me dit d'un air brusque:

— Écoute, Gil Blas, songe à faire ton devoir; je t'avertis que, si tu recules, je te casserai la tête d'un coup de pistolet.

J'étais trop persuadé qu'il ferait comme il disait pour négliger l'avertissement; c'est pourquoi je ne pensai plus qu'à recommander mon âme à Dieu, puisque je n'avais pas moins à craindre d'un côté que de l'autre.

Pendant ce temps-là, le carrosse et les cavaliers s'appro-
chaient. Ils virent quelle sorte de gens nous étions, et,
devinant notre dessein à notre contenance, ils s'arrêtèrent
à la portée d'une escopette. Ils avaient, aussi bien que nous,
5 des carabines et des pistolets.

Pendant qu'ils se préparaient à nous faire face, il sortit
du carrosse un homme bien fait et richement vêtu. Il
monta sur un cheval de main dont un des cavaliers tenait
la bride, et il se mit à la tête des autres. Il n'avait pour
10 armes que son épée et deux pistolets.

Bien qu'ils ne fussent que quatre contre neuf, car le
cocher demeura sur son siège, ils s'avancèrent vers nous
avec une audace qui redoubla mon effroi. Je ne manquai
pas pourtant, bien que tremblant de tous mes membres,
15 de me tenir prêt à tirer mon coup; mais, pour dire les choses
comme elles sont, je fermai les yeux et tournai la tête en
déchargeant ma carabine; et, de la manière dont je tirai,
je ne dois pas avoir ce coup-là sur la conscience.

Je ne ferai point le récit détaillé de l'action; quoique
20 présent, je ne voyais rien, et ma peur, en me troublant
l'imagination, me cachait l'horreur du spectacle même
qui m'effrayait. Tout ce que je sais, c'est qu'après un
grand bruit de mousquetades, j'entendis mes compagnons
crier à tue-tête: « Victoire ! victoire ! »

25 A cette acclamation, la terreur qui s'était emparée de
mes sens se dissipa, et j'aperçus sur le champ de bataille les
quatre cavaliers étendus sans vie. De notre côté nous
n'eûmes qu'un homme de tué.

Rolando courut d'abord à la portière du carrosse. Il y
30 avait dedans une dame de vingt-quatre à vingt-cinq ans,
qui lui parut très belle, malgré le triste état où il la voyait.
Elle s'était évanouie pendant le combat, et son évanouisse-

ment durait encore. Pendant qu'il s'occupait à la considérer, nous songeâmes, nous autres, au butin. Nous
commençâmes par nous assurer des chevaux des cavaliers
tués; car ces animaux, épouvantés du bruit des coups,
s'étaient un peu écartés après avoir perdu leurs guides.   5

Pour les mules, elles n'avaient pas branlé, quoique, durant l'action, le cocher eût quitté son siège pour se sauver. Nous mîmes pied à terre pour les dételer et nous les
chargeâmes de plusieurs malles que nous trouvâmes attachées devant et derrière le carrosse.   10

Cela fait, on prit, par ordre du capitaine, la dame, qui
n'avait point encore repris ses esprits, et on la mit à cheval
entre les mains d'un voleur des plus robustes et des mieux
montés. Puis, laissant sur le grand chemin le carrosse et les
morts dépouillés, nous emmenâmes avec nous la dame, les   15
mules et les chevaux.

CHAPITRE XI

GIL BLAS FAIT UN BEAU PROJET

Arrivés au souterrain, nous menâmes d'abord les bêtes à
l'écurie, où nous fûmes obligés nous-mêmes de les attacher
au râtelier et d'en avoir soin, parce que le vieux nègre
était au lit depuis trois jours. La goutte l'avait pris   20
violemment, et un rhumatisme le tenait entrepris de tous
ses membres. Il ne lui restait rien de libre que la langue,
qu'il employait à témoigner son impatience par d'horribles
blasphèmes.

Nous laissâmes ce misérable jurer et blasphémer, et nous   25
allâmes à la cuisine, où nous donnâmes toute notre atten-

tion à la dame, qui paraissait environnée des ombres de la
mort.   Nous n'épargnâmes rien pour la tirer de son évanouissement, et nous eûmes le bonheur d'en venir à bout.
Mais, quand elle eut repris l'usage de ses sens et qu'elle se
5 vit parmi des hommes qui lui étaient inconnus, elle sentit
son malheur; elle en frémit.

Tout ce que la douleur et le désespoir ensemble peuvent
avoir de plus affreux parut peint dans ses yeux, qu'elle
leva au ciel comme pour se plaindre à lui des dangers dont
10 elle était menacée; puis, cédant tout à coup à ces images
épouvantables, elle retombe en défaillance, sa paupière se
referme, et les voleurs s'imaginent que la mort va leur
enlever leur proie.   Alors le capitaine, jugeant plus à
propos de l'abandonner à elle-même que de la tourmenter
15 par de nouveaux secours, la fit porter sur le lit de Léonarde,
où on la laissa seule.

Nous passâmes dans le salon; on voulut voir ce qu'il
y avait dans les malles. Les unes se trouvèrent remplies de
dentelles et de linge, les autres d'habits; mais la dernière
20 que l'on ouvrit renfermait quelques sacs de pistoles, ce
qui réjouit infiniment les voleurs.

Après cet examen, la cuisinière dressa le buffet, mit le
couvert et servit.   Nous nous entretînmes d'abord de la
grande victoire que nous avions remportée.   Sur quoi
25 Rolando me dit:

— Avoue, Gil Blas, avoue, mon enfant, que tu as eu
grand'peur.

Je répondis que j'en demeurais d'accord de bonne foi,
mais que je me battrais comme un paladin quand j'aurais
30 fait seulement deux ou trois campagnes.   Là-dessus, toute
la compagnie prit mon parti en disant qu'on devait me le
pardonner, que l'action avait été vive, et que, pour un

jeune homme qui n'avait jamais vu le feu, je ne m'étais
point mal tiré d'affaire.

La conversation tomba ensuite sur les mules et les chevaux que nous venions d'amener au souterrain. Il fut
décidé que le lendemain, avant le jour, nous partirions 5
tous pour aller les vendre à Mansilla, où probablement on
n'aurait point encore entendu parler de notre expédition.

Ayant pris cette résolution, nous achevâmes de souper;
puis nous retournâmes à la cuisine pour voir la dame, que
nous trouvâmes dans la même situation; nous crûmes 10
qu'elle ne passerait pas la nuit.

Rolando se contenta de charger Léonarde d'en avoir
soin, et chacun se retira dans sa chambre. Pour moi,
lorsque je fus couché, au lieu de me livrer au sommeil, je
ne fis que m'occuper du malheur de la dame. Je ne doutais 15
point que ce ne fût une personne de qualité et j'en trouvais
son sort plus déplorable.

Enfin, après avoir bien plaint sa destinée, je rêvai au
moyen de la sauver et de me tirer en même temps du
souterrain. Je songeai que le vieux nègre ne pouvait se 20
remuer et que, depuis son indisposition, la cuisinière avait
la clef de la grille. Cette pensée m'échauffa l'imagination
et me fit concevoir un projet que je digérai bien; puis
j'en commençai sur-le-champ l'exécution de la manière
suivante. 25

Je feignis d'avoir la colique. Je poussai d'abord des
plaintes et des gémissements; ensuite, élevant la voix, je
jetai de grands cris. Les voleurs se réveillent et sont
bientôt auprès de moi. Ils me demandent ce qui m'oblige
à crier ainsi. 30

Je répondis que j'avais une colique horrible, et, pour
mieux le leur persuader, je me mis à grincer des dents, à

faire des grimaces et des contorsions effroyables et à
m'agiter d'une étrange façon. Après cela, je devins tout à
coup tranquille, comme si mes douleurs m'avaient donné
quelque répit. Un instant après, je me remis à faire des
5 bonds sur mon grabat et à me tordre les bras. En un mot,
je jouai si bien mon rôle que les voleurs, tout fins qu'ils
étaient, s'y laissèrent tromper et crurent qu'en effet je
sentais des douleurs violentes.

Mais, en faisant si bien mon personnage, je fus tourmenté
10 d'une étrange façon; car, dès que mes charitables confrères s'imaginèrent que je souffrais, les voilà tous qui
s'empressent à me soulager. L'un m'apporte une bouteille
d'eau-de-vie et m'en fait avaler la moitié; l'autre va
chauffer une serviette et vient me l'appliquer toute
15 brûlante sur le ventre.

J'avais beau crier miséricorde; ils imputaient mes
cris à ma colique et continuaient à me faire souffrir des
maux véritables en voulant m'en ôter un que je n'avais
point. Enfin, ne pouvant plus y résister, je fus obligé de
20 leur dire que je ne sentais plus de tranchées et que je les
conjurais de me donner quartier. Ils cessèrent de me fatiguer de leurs remèdes, et je me gardai bien de me plaindre
davantage, de peur d'éprouver encore leurs secours.

Cette scène dura près de trois heures. Après quoi, les
25 voleurs, jugeant que le jour ne devait pas être fort éloigné,
se préparèrent à partir pour Mansilla. Je voulus me lever
pour leur faire croire que j'avais grande envie de les
accompagner, mais ils m'en empêchèrent.

— Non, non, Gil Blas, me dit Rolando, demeure ici,
30 mon fils: ta colique pourrait te reprendre. Tu viendras une
autre fois avec nous; pour aujourd'hui, tu n'es pas en état
de nous suivre. Repose-toi toute la journée, tu en as besoin.

Je ne crus pas devoir insister fort sur cela de crainte qu'on
ne se rendît à mes instances. Je parus seulement très
mortifié de ne pouvoir être de la partie; ce que je fis
d'un air si naturel qu'ils sortirent tous du souterrain sans
avoir le moindre soupçon de mon projet. 5

CHAPITRE XII

L'ÉVASION

Après le départ des voleurs, je me dis:

— Or çà, Gil Blas, c'est à présent qu'il faut avoir de la
résolution. Arme-toi de courage pour achever ce que tu as
si heureusement commencé. La chose me paraît aisée:
Domingo n'est point en état de s'opposer à ton entreprise, 10
et Léonarde ne peut t'empêcher de l'exécuter. Saisis
cette occasion de t'échapper; tu n'en trouveras jamais
peut-être une plus favorable.

Ces réflexions me remplirent de confiance. Je me levai.
Je pris mon épée et mes pistolets, et j'allai à la cuisine. 15
Mais, avant d'y entrer, comme j'entendis parler Léonarde,
je m'arrêtai pour l'écouter. Elle parlait à la dame inconnue, qui avait repris ses esprits et qui, considérant
toute son infortune, pleurait et se désespérait.

— Pleurez, ma fille, lui disait la vieille, fondez en larmes, 20
n'épargnez point les soupirs; cela vous soulagera. Votre
saisissement était dangereux, mais il n'y a plus rien à
craindre, puisque vous versez des pleurs. Votre douleur
s'apaisera peu à peu et vous vous accoutumerez à vivre ici.

Je ne donnai pas à Léonarde le temps d'en dire 25
davantage. J'entrai et, lui mettant un pistolet sur la

gorge, je la pressai d'un air menaçant de me remettre la
clef de la grille. Elle fut troublée de mon action, et,
quoique très avancée dans sa carrière, elle se sentit encore
assez attachée à la vie pour n'oser me refuser ce que je
5 lui demandais. Lorsque j'eus la clef entre les mains,
j'adressai la parole à la dame affligée.

— Madame, lui dis-je, le ciel vous envoie un libérateur;
levez-vous pour me suivre; je vais vous mener où il vous
plaira.

10 La dame ne fut pas sourde à ma voix, et mes paroles
firent tant d'impression sur son esprit que, rappelant tout
ce qui lui restait de forces, elle se leva et vint se jeter à mes
pieds en me conjurant de la sauver. Je la relevai et l'assurai qu'elle pouvait compter sur moi. Ensuite je pris des
15 cordes que j'aperçus dans la cuisine et, avec l'aide de la
dame, je liai Léonarde aux pieds d'une grosse table en lui
protestant que je la tuerais si elle poussait le moindre cri.
La bonne Léonarde, persuadée que je n'y manquerais
pas si elle osait me contrarier, prit le parti de me laisser
20 faire tout ce que je voulus.

J'allumai une bougie et j'allai avec l'inconnue à la
chambre où étaient les pièces d'or et d'argent. Je mis dans
mes poches autant de pistoles et de doubles pistoles qu'il
put y en tenir, et, pour obliger la dame à s'en charger
25 aussi, je lui représentai qu'elle ne faisait que reprendre son
bien, ce qu'elle fit sans scrupule. Quand nous en eûmes une
bonne provision, nous marchâmes vers l'écurie, où j'entrai
seul avec mes pistolets en état.

Je comptais bien que le vieux nègre, malgré sa goutte et
30 son rhumatisme, ne me laisserait pas tranquillement seller
et brider mon cheval, et j'avais résolu de le guérir radicalement de tous ses maux s'il s'avisait de vouloir faire le

ENFIN NOUS NOUS VÎMES HORS DE CET ABÎME

méchant; mais, par bonheur, il était alors si accablé des
douleurs qu'il avait souffertes et de celles qu'il souffrait
encore, que je tirai mon cheval de l'écurie sans même
qu'il parût s'en apercevoir.

5 La dame m'attendait à la porte. Nous enfilâmes
promptement l'allée par où l'on sortait du souterrain. Nous arrivons à la grille, nous l'ouvrons et nous
parvenons enfin à la trappe. Nous eûmes beaucoup de
peine à la lever, ou plutôt, pour en venir à bout, nous
10 eûmes besoin de la force nouvelle que nous prêta l'envie de
nous sauver.

Le jour commençait à paraître lorsque nous nous vîmes
hors de cet abîme. Nous songeâmes aussitôt à nous en
éloigner. Je me jetai en selle; la dame monta derrière
15 moi, et, suivant au galop le premier sentier qui se présenta,
nous sortîmes bientôt de la forêt. Nous entrâmes dans une
plaine coupée par plusieurs routes; nous en prîmes une au
hasard. Je mourais de peur qu'elle ne nous conduisît à
Mansilla, et que nous ne rencontrassions Rolando et ses
20 camarades, ce qui pouvait fort bien nous arriver.

Heureusement ma crainte fut vaine. Nous arrivâmes à
la ville d'Astorga sur les deux heures après midi. J'aperçus
des gens qui nous regardaient avec une extrême attention,
comme si c'eût été pour eux un spectacle nouveau de voir
25 une femme à cheval derrière un homme.

Nous descendîmes à la première hôtellerie, où j'ordonnai
d'abord qu'on mît à la broche une perdrix et un lapereau.
Pendant qu'on exécutait mon ordre, je conduisis la dame à
une chambre, où nous commençâmes à nous entretenir, ce
30 que nous n'avions pu faire en chemin, parce que nous
étions venus trop vite.

Elle me témoigna combien elle était reconnaissante du

service que je venais de lui rendre, et me dit qu'après une
action si généreuse elle ne pouvait se persuader que je
fusse un compagnon des brigands à qui je l'avais arrachée.
Je lui contai mon histoire pour la confirmer dans la bonne
opinion qu'elle avait conçue de moi. Par là je l'engageai à 5
me donner sa confiance.

Elle me dit qu'elle s'appelait doña Mencia de Mosquera,
qu'elle habitait Burgos, et que c'était son mari qui avait
été tué par les voleurs. J'allais lui demander quel parti
elle voulait prendre dans la conjoncture où elle se trouvait, 10
et peut-être allait-elle me consulter là-dessus, si notre
conversation n'eût pas été interrompue.

CHAPITRE XIII

GIL BLAS EN PRISON

Nous entendîmes dans l'hôtellerie un grand bruit, qui,
malgré nous, attira notre attention. Ce bruit était causé
par l'arrivée du magistrat, suivi de deux exempts et de 15
plusieurs archers. Ils vinrent dans la chambre où nous
étions. Un jeune homme, qui les accompagnait, s'approcha
de moi le premier et se mit à regarder de près mon habit.
Il n'eut pas besoin de l'examiner longtemps.

— Par saint Jacques, s'écria-t-il, voilà mon pourpoint; 20
c'est bien celui-là; ce n'est pas plus difficile à reconnaître
que mon cheval. Vous pouvez arrêter ce drôle sur ma
parole; je suis sûr que c'est un de ces voleurs qui ont une
retraite inconnue dans ce pays-ci.

A ce discours, qui m'apprenait que ce jeune homme était 25
le gentilhomme volé dont j'avais par malheur toute la

dépouille, je demeurai surpris, confus, déconcerté. Le
magistrat, que sa charge obligeait plutôt à tirer une mauvaise conséquence de mon embarras qu'à l'expliquer favorablement, jugea que l'accusation n'était pas mal fondée,
5 et, présumant que la dame pouvait être complice, il nous
fit emprisonner tous deux séparément.

Ce juge n'était pas de ceux qui ont le regard terrible;
il avait l'air doux et riant. Dieu sait s'il en valait mieux
pour cela! Sitôt que je fus en prison, il y vint avec ses
10 deux furets, c'est-à-dire ses exempts; ils entrèrent d'un
air joyeux; il semblait qu'ils eussent un pressentiment
qu'ils allaient faire une bonne affaire. Ils n'oublièrent pas
leur bonne coutume; ils commencèrent par me fouiller.

Quelle aubaine pour ces messieurs! Ils n'avaient jamais
15 peut-être fait un si bon coup. A chaque poignée de pistoles
qu'ils tiraient, je voyais leurs yeux étinceler de joie. Le
magistrat surtout paraissait hors de lui-même.

— Mon enfant, me disait-il d'un ton de voix plein de
douceur, nous faisons notre devoir; mais ne crains rien;
20 si tu n'es pas coupable, on ne te fera point de mal.

Cependant ils vidèrent tout doucement mes poches, et
me prirent même ce que les voleurs avaient respecté, je
veux dire les quarante ducats de mon oncle. Ils n'en
demeurèrent pas là; leurs mains avides et infatigables me
25 parcoururent depuis la tête jusqu'aux pieds; ils me tour-
nèrent de tous côtés et me dépouillèrent pour voir si je
n'avais point d'argent entre la peau et la chemise. Après
qu'ils eurent si bien fait leur devoir, le magistrat m'interrogea. Je lui contai ingénument tout ce qui m'était
30 arrivé. Il fit écrire ma déposition; puis il sortit avec ses
gens et mon argent, me laissant sur la paille.

Au lieu de la perdrix et du lapereau que j'avais fait

mettre à la broche, on m'apporta un petit pain bis avec
une cruche d'eau, et on me laissa ronger mon frein dans
mon cachot. J'y demeurai quinze jours entiers sans voir
personne que le concierge qui avait soin de venir tous les
matins renouveler ma provision. 5

Le seizième jour, le magistrat parut et me dit:

— Enfin, mon ami, tes peines sont finies; tu peux
t'abandonner à la joie; je viens t'annoncer une agréable
nouvelle. J'ai fait conduire à Burgos la dame qui était
avec toi; je l'ai interrogée avant son départ et ses réponses 10
vont à ta décharge. Tu seras élargi aujourd'hui, pourvu
que le muletier avec qui tu es venu de Peñaflor à Cacabelos,
comme tu l'as dit, confirme ta déposition. Il est dans
Astorga. Je l'ai envoyé chercher; je l'attends. S'il
convient de l'aventure de la torture, je te mettrai sur-le- 15
champ en liberté.

Ces paroles me réjouirent. Dès ce moment, je me crus
hors d'affaire. Je remerciai le magistrat de la bonne et
brève justice qu'il voulait me rendre. Je n'avais pas
encore achevé mon compliment que le muletier, conduit 20
par deux archers, arriva. Je le reconnus aussitôt, mais le
bourreau, qui sans doute avait vendu ma valise avec tout
ce qui était dedans, craignant d'être obligé de restituer
l'argent qu'il en avait touché, s'il avouait qu'il me recon-
naissait, dit effrontément qu'il ne savait qui j'étais et 25
qu'il ne m'avait jamais vu.

— Ah! traître, m'écriai-je, confesse plutôt que tu as
vendu mes hardes, et rends témoignage à la vérité. Re-
garde-moi bien; je suis un de ces jeunes gens que tu me-
naças de la torture dans le bourg de Cacabelos et à qui tu 30
fis si grand'peur.

Le muletier répondit d'un air froid que je lui parlais

d'une chose dont il n'avait aucune connaissance, et, comme
il soutint jusqu'au bout que je lui étais inconnu, mon
élargissement fut remis à une autre fois.

Il fallut m'armer d'une nouvelle patience, me résoudre à
5 jeûner encore au pain et à l'eau, et à voir tous les matins le
silencieux concierge. Quand je songeais que je ne pouvais
me tirer des griffes de la justice, bien que je n'eusse pas
commis le moindre crime, cette pensée me mettait au
désespoir et je commençais à regretter le souterrain.

CHAPITRE XIV

GIL BLAS EST ENFIN ÉLARGI

10 Cependant le bruit de mes aventures se répandit dans la
ville. Plusieurs personnes vinrent me voir dans ma prison
par curiosité. Je fus obligé de leur faire le récit de mes
aventures, ce qui produisit deux effets dans l'esprit de
mes auditeurs: je les fis rire et je m'attirai leur pitié.

15 Parmi ceux qui se présentèrent un jour à ma fenêtre fut
le petit chantre, qui avait aussi bien que moi craint la
torture et pris la fuite. Je le reconnus, et il ne feignit
point de ne pas me reconnaître. Nous nous saluâmes de
part et d'autre, puis nous nous engageâmes dans un long
20 entretien. Lorsque je lui eus conté mon histoire, il me
promit que, sans perdre de temps, il travaillerait à ma
délivrance.

Il tint effectivement sa promesse. Il parla en ma
faveur au magistrat, qui, ne doutant plus de mon inno-
25 cence, vint trois semaines après dans ma prison.

— Gil Blas, me dit-il, je pourrais encore te retenir ici si

j'étais un juge plus sévère; mais je ne veux pas traîner les choses en longueur: va, tu es libre; tu peux sortir quand il te plaira. Mais, dis-moi, poursuivit-il, si l'on te menait dans la forêt où est le souterrain, ne pourrais-tu pas le découvrir ?   5

— Non, monsieur, lui répondis-je, comme je n'y suis entré que la nuit, et que j'en suis sorti avant le jour, il me serait impossible de reconnaître l'endroit où il est.

Un moment après, le geôlier vint dans mon cachot avec un de ses guichetiers, qui portait un paquet de toile. Ils   10
m'ôtèrent tous deux, d'un air grave et sans me dire un seul mot, mon pourpoint et mon haut-de-chausses, qui étaient d'un drap fin et presque neuf; puis, m'ayant revêtu d'une vieille souquenille, ils me mirent dehors par les épaules.

La confusion que j'avais de me voir si mal équipé modé-   15
rait ma joie. J'allai remercier le petit chantre, à qui j'avais tant d'obligation. Il ne put s'empêcher de rire lors-qu'il m'aperçut.

— Comme vous voilà ! me dit-il; je ne vous ai pas reconnu d'abord sous cet habillement. Mais quel est votre   20
dessein ?

— J'ai envie, lui dis-je, de prendre le chemin de Burgos: j'irai trouver la dame dont je suis le libérateur; elle me donnera quelques pistoles; j'achèterai une soutanelle neuve et me rendrai à Salamanque, où je tâcherai de   25
mettre mon latin à profit. Tout ce qui m'embarrasse, c'est que je ne suis point encore à Burgos; il faut vivre sur la route; vous n'ignorez pas qu'on fait fort mauvaise chère quand on voyage sans argent.

— Je vous entends, répliqua-t-il, et je vous offre ma   30
bourse; elle est un peu plate à la vérité.

En même temps il la tira et me la mit entre les mains.

Il avait eu raison de ne pas me la vanter; je n'y trouvai
que de la menue monnaie.

Par bonheur, j'étais accoutumé depuis deux mois à une
vie très frugale, et il me restait encore quelques réaux
5 lorsque j'arrivai à Burgos. Je demandai des nouvelles de
doña Mencia. On m'apprit qu'elle s'était retirée dans un
couvent qu'on me nomma. Je volai au monastère où elle
demeurait. Elle me reçut d'un air gracieux.

— Soyez le bienvenu, me dit-elle. Je craignais de ne
10 plus vous revoir et d'être privée du plaisir de vous témoigner ma reconnaissance. Consolez-vous, ajouta-t-elle, en
remarquant que j'avais honte de ma misérable apparence.
Après le service important que vous m'avez rendu, je
serais la plus ingrate de toutes les femmes si je ne faisais
15 rien pour vous. Je veux vous tirer de la mauvaise situation
où vous êtes; je le dois et je le puis. J'ai des biens assez
considérables pour pouvoir m'acquitter envers vous sans
m'incommoder.

Puis elle tira de dessous sa robe une bourse, qu'elle me
20 mit entre les mains en me disant:

— Voilà cent ducats que je vous donne seulement pour
vous faire habiller. Revenez me voir après cela; je n'ai
pas dessein de borner ma reconnaissance à si peu de chose.

Je rendis mille grâces à la dame et lui jurai que je ne
25 quitterais pas Burgos sans prendre congé d'elle.

CHAPITRE XV

GIL BLAS S'HABILLE

Après ce serment, j'allai chercher une hôtellerie. J'entrai dans la première que je rencontrai. Je demandai une

chambre, et, pour prévenir la mauvaise opinion que ma souquenille pouvait donner de moi, je dis à l'hôte que, tel qu'il me voyait, j'étais en état de bien payer mon gîte. Pour mieux le lui persuader, je lui montrai ma bourse. Je comptai même devant lui mes ducats sur une table, et je m'aperçus qu'ils le disposaient à juger de moi plus favorablement. Je le priai de me chercher un tailleur.

— Il vaut mieux, me dit-il, envoyer chercher un fripier; il vous apportera toutes sortes d'habits, et vous serez habillé sur-le-champ.

J'approuvai ce conseil et résolus de le suivre, mais, comme il se faisait tard, je remis l'emplette au lendemain et je ne songeai qu'à bien souper pour me dédommager des mauvais repas que j'avais faits depuis ma sortie du souterrain.

On me servit une copieuse fricassée de pieds de mouton, que je mangeai presque tout entière; je bus à proportion. Puis je me couchai. J'avais un assez bon lit, et j'espérais qu'un profond sommeil ne tarderait guère à s'emparer de mes sens. Je ne pus toutefois fermer l'œil; je ne fis que rêver à l'habit que je devais prendre.

J'attendis le jour avec la dernière impatience. Je me levai de bonne heure et ordonnai qu'on m'amenât un fripier. J'en vis bientôt paraître un. Il était suivi de deux garçons, qui portaient chacun un gros paquet de toile verte.

Le fripier me salua fort civilement et dit à ses garçons de défaire leurs paquets. Après avoir essayé plusieurs habits, j'en trouvai un qui semblait avoir été fait exprès pour ma taille et qui m'éblouit, quoiqu'il fût un peu passé. Je m'attachai à celui-là et je l'achetai soixante ducats. Quand le fripier vit que je les donnais si facilement, il fut

bien fâché de n'en avoir pas demandé davantage. Assez
satisfait pourtant du marché, il sortit avec ses garçons, que
je n'avais pas oubliés.

Il fallut songer au reste de l'habillement, ce qui m'occupa
5 toute la matinée. J'achetai du linge, un chapeau, des bas
de soie, des souliers et une épée; après quoi je m'habillai.
Quel plaisir j'avais de me voir si bien équipé !

Le même jour je fis une seconde visite à doña Mencia,
qui me reçut encore d'un air très gracieux. Elle me re-
10 mercia de nouveau du service que je lui avais rendu. Là-
dessus, grands compliments de part et d'autre. Puis, me
souhaitant toutes sortes de prospérités, elle me dit adieu et
se retira, sans me donner rien autre chose qu'une bague de
trente pistoles, qu'elle me pria de garder pour me souvenir
15 d'elle.

Je demeurai bien sot avec ma bague; j'avais compté sur
un présent plus considérable. Ainsi, peu content de la
générosité de la dame, je regagnai mon hôtellerie en rêvant;
mais, comme j'y entrais, il y arriva un homme qui marchait
20 sur mes pas et qui tout à coup, se débarrassant de son
manteau, laissa voir un gros sac qu'il portait sous le bras.
A la vue du sac, qui avait tout l'air d'être plein d'argent,
j'ouvris de grands yeux et je crus entendre la voix d'un
séraphin, lorsque cet homme me dit, en posant le sac sur
25 une table:

— Monsieur Gil Blas, voilà ce que doña Mencia vous
envoie.

Je fis de profondes révérences au porteur, je l'accablai
de civilités; mais, dès qu'il fut hors de l'hôtellerie, je me
30 jetai sur le sac et l'emportai dans ma chambre. Je le
déliai sans perdre de temps et j'y trouvai mille ducats.
J'achevais de les compter, quand l'hôte, qui avait entendu

les paroles du porteur, entra pour savoir ce qu'il y avait dans le sac. La vue de mes ducats étalés sur une table le frappa vivement.

Je lui contai l'histoire de doña Mencia, qu'il écouta fort attentivement. Je lui dis ensuite l'état de mes affaires, et, comme il paraissait entrer dans mes intérêts, je le priai de m'aider de ses conseils. Il rêva quelques moments, puis il me dit d'un air sérieux:

— Monsieur Gil Blas, vous me semblez né pour la cour. Je vous conseille d'aller à Madrid et de vous attacher à quelque grand seigneur; mais il ne faut pas que vous y paraissiez sans suite. On juge là, comme ailleurs, sur les apparences, et vous n'y serez considéré qu'à proportion de la figure qu'on vous verra faire. Je veux vous donner un valet, un domestique fidèle, un garçon sage. Achetez deux mules, l'une pour vous, l'autre pour lui, et partez le plus tôt possible.

Ce conseil était trop de mon goût pour ne pas le suivre. Le lendemain, j'achetai deux belles mules et j'arrêtai le valet dont on m'avait parlé. C'était un garçon de trente ans, qui avait l'air simple et dévot. Il me dit qu'il était du royaume de Galice et qu'il se nommait Ambroise.

J'achetai aussi des bottines, avec une valise pour serrer mon linge et mes ducats. Ensuite je payai mon hôte, et, le jour suivant, je partis de Burgos avant l'aurore pour aller à Madrid.

CHAPITRE XVI

GIL BLAS FAIT DE NOUVELLES CONNAISSANCES

Nous arrivâmes la seconde journée à Valladolid, où nous descendîmes à une hôtellerie qui me sembla devoir être une des meilleures de la ville. Je laissai le soin des mules à mon valet et montai dans une chambre où je fis
5 porter ma valise par un garçon. Comme je me sentais un peu fatigué, je me jetai sur mon lit sans même ôter mes bottines, et je m'endormis insensiblement.

Il était presque nuit lorsque je me réveillai. J'appelai Ambroise. Il ne se trouva point dans l'hôtellerie, mais il y
10 arriva bientôt. Je lui demandai d'où il venait; il me répondit d'un air pieux qu'il sortait d'une église, où il était allé remercier le ciel de nous avoir préservés de tout mauvais accident depuis Burgos jusqu'à Valladolid. J'approuvai son action; ensuite je lui ordonnai de faire
15 mettre à la broche un poulet pour mon souper.

Pendant que je lui donnais cet ordre, mon hôte entra dans ma chambre, un flambeau à la main. Il éclairait une dame qui me parut plus belle que jeune, et très richement vêtue. Elle s'appuyait sur un vieil écuyer. Je ne fus pas
20 peu surpris quand cette dame, après m'avoir fait une profonde révérence, me demanda si par hasard je n'étais point monsieur Gil Blas de Santillane. Je n'eus pas sitôt répondu que oui, qu'elle quitta la main de son écuyer pour venir m'embrasser avec un transport de joie qui redoubla
25 mon étonnement.

— Le ciel, s'écria-t-elle, soit à jamais béni de cette aventure ! C'est vous, monsieur, c'est vous que je cherche.

A ce début, je me ressouvins du parasite de Peñaflor et

j'allais soupçonner la dame d'être une franche aventurière;
mais ce qu'elle ajouta m'en fit juger plus avantageusement.

— Je suis, poursuivit-elle, cousine germaine de doña
Mencia de Mosquera, qui vous a tant d'obligations. J'ai
reçu ce matin une lettre de sa part. Ayant appris que vous 5
alliez à Madrid, elle me prie de vous bien régaler si vous
passez par ici. Il y a deux heures que je parcours toute la
ville. Je suis allée d'hôtellerie en hôtellerie m'informer des
étrangers qui y sont, et j'ai jugé, sur le portrait que votre
hôte m'a fait de vous, que vous pouviez être le libérateur 10
de ma cousine. Ah ! puisque je vous ai rencontré, con-
tinua-t-elle, je veux vous faire voir combien je suis reconnaissante des services qu'on rend à ma famille, et
particulièrement à ma chère cousine. Vous viendrez,
s'il vous plaît, dès ce moment loger chez moi; vous y serez 15
plus commodément qu'ici.

Je voulus m'en défendre et représenter à la dame que je
pourrais l'incommoder chez elle; mais il n'y eut pas moyen
de résister à ses instances. Il y avait à la porte de l'hôtellerie un carrosse qui nous attendait. Elle prit soin elle- 20
même de faire mettre ma valise dedans, parce qu'il y avait,
disait-elle, bien des fripons à Valladolid; ce qui n'était que
trop vrai. Enfin je montai en carrosse avec elle et son vieil
écuyer, et je me laissai de cette manière enlever de l'hôtellerie. 25

Notre carrosse, après avoir quelque temps roulé,
s'arrêta. Nous en descendîmes pour entrer dans une assez
grande maison et nous montâmes dans un appartement
qui n'était pas malpropre et que vingt ou trente bougies
éclairaient. Il y avait là plusieurs domestiques, à qui la 30
dame demanda d'abord si don Raphaël était arrivé; ils
répondirent que non. Alors, m'adressant la parole:

— Monsieur Gil Blas, me dit-elle, j'attends mon frère, qui doit revenir ce soir d'un château que nous avons à deux lieues d'ici. Quelle agréable surprise pour lui de trouver dans sa maison un homme à qui toute notre famille
5 est si redevable !

Comme elle achevait de parler ainsi, nous entendîmes du bruit et nous apprîmes en même temps qu'il était causé par l'arrivée de don Raphaël, qui parut bientôt. Je vis un jeune homme de belle taille et de fort bon air.

10 — Je suis ravie de votre retour, mon frère, lui dit la dame; vous m'aiderez à bien recevoir monsieur Gil Blas de Santillane. Nous ne saurions assez reconnaître ce qu'il a fait pour doña Mencia, notre parente. Tenez, ajouta-t-elle en lui présentant une lettre, lisez ce qu'elle m'écrit.

15 — Comment ! s'écria don Raphaël, après avoir lu la lettre, c'est à ce monsieur que ma parente doit la vie ? Ah ! je rends grâces au ciel de cette heureuse rencontre.

En parlant de cette sorte, il s'approcha de moi et me serra étroitement entre ses bras.

CHAPITRE XVII

GIL BLAS VICTIME DE SA CRÉDULITÉ

20 Nous passâmes dans une chambre où l'on avait servi. Nous nous mîmes à table, don Raphaël, Camille (c'était le nom de la dame) et moi. Ils me dirent cent choses obligeantes pendant le souper. Don Raphaël buvait souvent à la santé de doña Mencia. Je suivais son exemple, et il me
25 semblait quelquefois que Camille, qui trinquait avec nous, me lançait des regards qui signifiaient quelque chose. Aussi je me rendis sans peine à la prière qu'ils me firent

de vouloir bien passer quelques jours chez eux. Ils me
remercièrent de ma complaisance, et la joie qu'en témoigna
Camille me confirma dans l'opinion que j'avais qu'elle me
trouvait fort à son gré.

Don Raphaël, me voyant déterminé à faire un petit 5
séjour chez lui, me proposa de me mener à son château.
J'acceptai la proposition, et il fut résolu que nous y irions
le lendemain. Nous nous levâmes de table en formant un
si agréable dessein. Don Raphaël en parut transporté de
joie.   10

— Monsieur Gil Blas, me dit-il en m'embrassant, je vous
laisse avec ma sœur. Je vais de ce pas donner les ordres
nécessaires.

A ces paroles, il sortit de la chambre où nous étions et je
continuai de m'entretenir avec la dame. Elle me prit la 15
main, et, regardant ma bague:

— Vous avez là, dit-elle, un diamant assez joli, mais il
est bien petit. Vous connaissez-vous en pierreries?

Je répondis que non.

— J'en suis bien fâchée, reprit-elle, car vous me diriez 20
ce que vaut celle-ci.

En achevant ces mots, elle me montra un gros rubis
qu'elle avait au doigt, et, pendant que je le considérais, elle
me dit:

— Un de mes oncles, qui a été gouverneur dans les 25
habitations que les Espagnols possèdent aux îles Philippines, m'a donné ce rubis. Les joailliers de Valladolid
l'estiment trois cents pistoles.

— Je le croirais bien, lui dis-je; je le trouve parfaitement beau.   30

— Puisqu'il vous plaît, répliqua-t-elle, je veux faire un
troc avec vous.

VOUS AVEZ LÀ UN DIAMANT ASSEZ JOLI

Aussitôt elle prit ma bague et me mit la sienne au petit doigt. Après ce troc, qui me parut une manière galante de faire un présent, Camille me serra la main et me regarda d'un air tendre; puis tout à coup, rompant l'entretien, elle me donna le bonsoir et se retira toute confuse, comme si 5 elle eût honte de me faire trop connaître ses sentiments.

Plein de l'état brillant de mes affaires, je m'enfermai dans la chambre où je devais coucher, après avoir dit à mon valet de venir me réveiller de bonne heure le lendemain. Au lieu de songer à me reposer, je m'abandonnai aux ré- 10 flexions agréables que m'inspirèrent ma valise, qui était sur une table, et mon rubis.

— Grâce au ciel, disais-je, si j'ai été malheureux, je ne le suis plus. Mille ducats d'un côté, une bague de trois cents pistoles de l'autre: me voilà pour longtemps en fonds. 15

Le lendemain matin, lorsque je me réveillai, je m'aperçus qu'il était déjà tard. Je fus assez surpris de ne pas voir paraître mon valet, après l'ordre qu'il avait reçu de moi.

— Ambroise, dis-je en moi-même, mon fidèle Ambroise est à l'église, ou bien il est aujourd'hui fort paresseux. 20 Mais je perdis bientôt cette opinion de lui pour en prendre une plus mauvaise; car, m'étant levé et ne voyant plus ma valise, je le soupçonnai de l'avoir volée pendant la nuit. Pour éclaircir mes soupçons, j'ouvris la porte de ma chambre et j'appelai l'hypocrite à plusieurs reprises. Il 25 vint à ma voix un vieillard, qui me dit:

— Que souhaitez-vous, monsieur ? Tous vos gens sont sortis de ma maison avant le jour.

— Comment, de votre maison ? m'écriai-je; est-ce que je ne suis pas ici chez don Raphaël ? 30

— Je ne sais ce que c'est que ce monsieur, me répondit-il. Vous êtes dans un hôtel garni, et j'en suis l'hôte. Hier

soir, une heure avant votre arrivée, la dame qui a soupé
avec vous vint ici et arrêta cet appartement pour un grand
seigneur, disait-elle, qui voyage *incognito*. Elle m'a même
payé d'avance.

5   Je fus alors au fait. Je sus ce que je devais penser de
Camille et de don Raphaël, et je compris que mon valet,
ayant une entière connaissance de mes affaires, m'avait
vendu à ces fourbes.

CHAPITRE XVIII

GIL BLAS RECHERCHE UN EMPLOI

Lorsque j'eus fort inutilement déploré mon malheur,
10 je fis réflexion qu'au lieu de céder à mon chagrin, je devais
plutôt me raidir contre mon mauvais sort. Je rappelai
mon courage, et, pour me consoler, je disais en m'habillant:

— Je suis encore trop heureux que les fripons n'aient pas
15 emporté mes habits et quelques ducats que j'ai dans mes
poches.

Je fus tenté de retourner à Burgos pour avoir encore une
fois recours à doña Mencia; mais, considérant que ce
serait abuser des bontés de cette dame, j'abandonnai cette
20 pensée. Je jurai bien aussi que dans la suite je serais en
garde contre les femmes. Je jetais de temps en temps les
yeux sur ma bague, et quand je venais à songer que c'était
un présent de Camille, j'en soupirais de douleur.

— Hélas ! disais-je en moi-même, je ne me connais
25 point en rubis, mais je connais les gens qui les troquent.
Je ne crois pas qu'il soit nécessaire que j'aille chez un joaillier pour être persuadé que je suis un sot.

Je voulus toutefois savoir ce que valait ma bague, et
j'allai la montrer à un lapidaire, qui l'estima trois ducats.
Comme je sortais de chez lui, il passa près de moi un
jeune homme qui s'arrêta pour me considérer. Je ne le
remis pas d'abord, bien que je le connusse parfaitement. 5

— Comment donc, Gil Blas, me dit-il, feignez-vous
d'ignorer qui je suis ? ou deux années ont-elles si fort changé
le fils du barbier Nuñez que vous ne le reconnaissez plus ?
Ressouvenez-vous de Fabrice, votre compatriote et votre
compagnon d'école. 10

Je le reconnus avant qu'il eût achevé ces paroles, et nous
nous embrassâmes tous deux avec cordialité.

— Eh ! mon ami, reprit-il ensuite, que je suis ravi de te
rencontrer ! Je ne puis t'exprimer la joie que j'en ressens.
... Mais, poursuivit-il d'un air surpris, dans quel état 15
t'offres-tu à ma vue ? Vive Dieu ! te voilà vêtu comme un
prince ! Une belle épée, des bas de soie, un pourpoint et un
manteau de velours, relevés d'une broderie d'argent !
Tu dois être bien en fonds.

— Tu te trompes, lui dis-je ; mes affaires ne sont pas si 20
florissantes que tu te l'imagines.

Et je lui contai tout ce qui m'était arrivé depuis ma
sortie d'Oviédo. Il trouva mes aventures assez bizarres, et,
après m'avoir assuré qu'il prenait un vif intérêt à la fâ-
cheuse situation où j'étais, il me dit: 25

— Il faut se consoler, mon enfant, de tous les malheurs
de la vie; c'est par là qu'une âme forte et courageuse se
distingue des âmes faibles. Un homme d'esprit est-il
dans la misère, il attend avec patience un temps plus heureux. Jamais il ne doit se laisser abattre jusqu'à ne plus se 30
souvenir qu'il est homme. Pour moi, je suis de ce carac-
tère-là; mes disgrâces ne m'accablent point; je suis tou-

jours au-dessus de la mauvaise fortune. J'ai fait divers métiers; maintenant je suis au service de l'administrateur de l'hôpital, et je suis charmé de ma place.

— Je suis bien aise, dis-je à Fabrice, que tu sois satisfait
5 de ton sort; mais, entre nous, tu pourrais, ce me semble, jouer un plus beau rôle que celui de valet.

— Tu n'y penses pas, Gil Blas, me répondit-il; sache que, pour un homme de mon humeur, il n'y a point de situation plus agréable que la mienne. Le métier de
10 laquais est pénible, je l'avoue, pour un imbécile; mais il n'a que des charmes pour un garçon d'esprit. Un génie supérieur qui se met en condition ne fait pas son service matériellement comme un nigaud. Il entre dans une maison pour commander plutôt que pour servir. Il commence
15 par étudier son maître; il se prête à ses défauts, gagne sa confiance et le mène ensuite par le nez. C'est ainsi que je me suis conduit chez mon administrateur.

— Voilà qui est fort bien, mon cher Fabrice, repris-je; et je t'en félicite. Pour moi, je vais convertir mon habit
20 brodé en soutanelle, me rendre à Salamanque et remplir l'emploi de précepteur.

— Beau projet ! s'écria Fabrice. Quelle folie de vouloir, à ton âge, te faire pédant ! Ne me parle point d'un poste de précepteur; parle-moi plutôt de l'emploi d'un laquais.
25 Un valet vit sans inquiétude dans une bonne maison. Mais je ne finirais point, mon enfant, poursuivit-il, si je voulais dire tous les avantages des valets. Crois-moi, Gil Blas, perds pour jamais l'envie d'être précepteur et suis mon exemple.

30 — Oui; mais, Fabrice, lui repartis-je, on ne trouve pas tous les jours des administrateurs; et, si je me résolvais à servir, je voudrais du moins n'être pas mal placé.

— Oh ! tu as raison, me dit-il, et j'en fais mon affaire.
Je te réponds d'une bonne position, quand ce ne serait que
pour arracher un galant homme à l'Université.

La prochaine misère dont j'étais menacé et l'air satisfait
qu'avait Fabrice me persuadant encore plus que ses raisons, 5
je me déterminai à me mettre en condition. Là-dessus
mon compatriote me dit:

— Je vais de ce pas te conduire chez un homme à qui
s'adressent la plupart des laquais qui sont sur le pavé;
il a des grisons qui l'informent de tout ce qui se passe dans 10
les familles. Il sait où l'on a besoin de valets et il tient
un registre exact, non seulement des places vacantes, mais
même des bonnes et des mauvaises qualités des maîtres.
Enfin c'est lui qui m'a placé.

Nous entrâmes dans une petite maison, où nous trou- 15
vâmes un homme d'une cinquantaine d'années, qui
écrivait sur une table. Nous le saluâmes assez respectueusement, mais il ne se leva point, se contentant de nous
faire une légère inclination de tête. Il me regarda pourtant
avec une attention particulière. Je vis bien qu'il était 20
surpris qu'un jeune homme en habit de velours brodé
voulût devenir laquais; il avait plutôt l'air de penser que
je venais lui en demander un. Il ne put toutefois douter
longtemps de mon intention, puisque Fabrice lui dit
d'abord: 25

— Monsieur Arias de Londona, vous voulez bien que je
vous présente le meilleur de mes amis. C'est un garçon
de famille, que ses malheurs réduisent à la nécessité de
servir. Indiquez-lui, de grâce, une bonne position, et
comptez sur sa reconnaissance. 30

Je pris alors la parole et dis à monsieur Arias que je
voulais que la reconnaissance précédât le service. En

même temps je tirai de mes poches deux ducats que je lui
donnai, avec promesse de n'en pas demeurer là si je me
trouvais bien placé.

Enfin, après avoir nommé quelques postes vacants,
5 Arias dit:

— Le licencié Sédillo, vieux chanoine du chapitre de
cette ville, chassa hier soir son valet. . . .

— Halte-là, s'écria Fabrice, nous nous en tenons à ce
dernier poste. Le licencié Sédillo est des amis de mon
10 maître et je le connais parfaitement. Je sais qu'il a pour
gouvernante une vieille dame qui s'appelle Jacinte et qui
dispose de tout chez lui. C'est une des meilleures maisons
de Valladolid. On y vit doucement et l'on y fait très
bonne chère. D'ailleurs, le chanoine est un homme in-
15 firme, un vieux goutteux qui fera bientôt son testament:
il y a un legs à espérer. La charmante perspective pour un
valet ! Gil Blas, ajouta-t-il en se tournant de mon côté,
ne perdons pas de temps, mon ami; allons tout de suite
chez le licencié. Je veux te présenter moi-même et te
20 servir de répondant.

CHAPITRE XIX

GIL BLAS CHEZ LE LICENCIÉ SÉDILLO

Nous avions si grand'peur d'arriver trop tard chez le
vieux licencié que nous ne fîmes qu'un saut du bureau
d'Arias à sa maison. Nous en trouvâmes la porte fermée;
nous frappâmes. Une petite fille de dix ans vint ouvrir, et,
25 comme nous lui demandions si l'on pouvait parler au chanoine, Jacinte parut. C'était une personne déjà parvenue à

l'âge de discernement, mais belle encore. Nous la saluâmes avec beaucoup de respect; elle nous rendit le salut fort civilement, mais d'un air modeste et les yeux baissés.

— J'ai appris, lui dit mon camarade, qu'il faut un hon- nête garçon à monsieur le licencié Sédillo, et je viens lui en 5 présenter un dont j'espère qu'il sera content.

La gouvernante leva les yeux à ces paroles, me regarda fixement, et, ne pouvant accorder ma broderie avec le discours de Fabrice, elle demanda si c'était moi qui recherchais la place vacante. 10

— Oui, lui dit le fils de Nuñez, c'est ce jeune homme. Tel que vous le voyez, il lui est arrivé des disgrâces qui l'obligent à se mettre en condition; mais il se consolera de ses malheurs, ajouta-t-il d'un ton doucereux, s'il a le bonheur d'entrer dans cette maison. 15

A ces mots, la vieille dame cessa de me regarder pour considérer le gracieux personnage qui lui parlait.

— J'ai une idée confuse de vous avoir vu, lui dit-elle.

— Je suis venu deux fois dans cette maison avec mon maître, monsieur Manuel Ordoñez, administrateur de 20 l'hôpital.

— Eh ! justement, répliqua la gouvernante, je m'en souviens et je vous remets. Ah ! puisque vous appartenez à monsieur Ordoñez, vous devez être un honnête garçon; ce jeune homme ne saurait avoir un meilleur répondant que 25 vous. Venez, poursuivit-elle, je vais vous faire parler à mon maître.

Nous suivîmes la dame. Le chanoine était logé au rez- de-chaussée, et son appartement consistait en quatre pièces de plain-pied. Jacinte nous pria d'attendre un 30 moment dans la première et passa dans la seconde, où était le licencié. Après y être restée quelque temps en

particulier avec lui pour le mettre au fait, elle vint nous
dire que nous pouvions entrer.

Nous aperçûmes le vieux podagre enfoncé dans un
fauteuil, un oreiller sous la tête, des coussins sous les bras,
5 et les jambes appuyées sur un gros carreau plein de duvet.
Nous nous approchâmes de lui sans ménager les révérences, et Fabrice se mit à vanter mon mérite. Le licencié,
remarquant que je ne déplaisais pas à Jacinte, dit à mon
répondant:

10 — Mon ami, je reçois à mon service le garçon que tu
m'amènes et je juge favorablement de ses mœurs, puisqu'il m'est présenté par un domestique de mon ami
Ordoñez.

Dès que Fabrice vit que j'étais arrêté, il fit une grande
15 révérence au chanoine, une autre encore plus profonde à la
gouvernante et se retira fort satisfait, après m'avoir dit
tout bas que nous nous reverrions et que je n'avais qu'à
rester là.

Dès qu'il fut sorti, le licencié me demanda comment je
20 m'appelais, pourquoi j'avais quitté ma patrie, et, par ses
questions, m'engagea, devant Jacinte, à raconter mon
histoire. Je les divertis tous deux, surtout par le récit
de ma dernière aventure. Camille et don Raphaël leur
donnèrent une si forte envie de rire qu'il pensa en coûter
25 la vie au vieux goutteux; car, comme il riait de toute sa
force, il lui prit une toux si violente que je crus qu'il allait
passer.

Il n'avait pas encore fait son testament; jugez si la
gouvernante fut alarmée! Je voulus achever mon récit,
30 mais Jacinte, craignant une seconde toux, s'y opposa.
Elle m'emmena même de la chambre du chanoine dans une
garde-robe, où, parmi plusieurs habits, était celui de mon

prédécesseur. Elle me le fit prendre et mit à sa place le
mien, que je n'étais pas fâché de conserver, dans l'espérance
qu'il me servirait encore. Nous allâmes ensuite tous deux
préparer le dîner.

Je ne parus pas neuf dans l'art de faire la cuisine. Il est 5
vrai que j'en avais fait l'heureux apprentissage sous Léonarde, qui pouvait passer pour une bonne cuisinière; elle
n'était pas toutefois comparable à Jacinte. Celle-ci
excellait en tout. Quand le dîner fut prêt, nous retournâmes à la chambre du chanoine, où, pendant que je 10
dressais une table auprès de son fauteuil, la gouvernante
passa sous le menton du vieillard une serviette et la lui
attacha aux épaules. Un moment après, je servis un
potage et deux entrées.

A la vue de ces bons plats, mon vieux maître, que je 15
croyais perclus de tous ses membres, me montra qu'il n'a-
vait pas encore perdu entièrement l'usage de ses bras.
Il s'en aida pour se débarrasser de son oreiller et de ses
coussins, et se disposa gaiement à manger. J'ôtai la
bisque lorsqu'il n'en voulut plus et j'apportai une perdrix 20
flanquée de deux cailles rôties, que Jacinte lui dépeça. Elle
avait aussi soin de lui faire boire de temps en temps de
grands coups de vin, un peu trempé, dans une coupe
d'argent large et profonde, qu'elle lui tenait comme à un
enfant de quinze mois.   25

Voilà de quelle manière dînait tous les jours notre
chanoine, qui était peut-être le plus grand mangeur du
chapitre. Mais il soupait plus légèrement: il se conten-
tait d'un poulet ou d'un lapin, avec quelques compotes de
fruits. Je faisais bonne chère dans cette maison, j'y 30
menais une vie très douce; je n'y avais qu'un désagrément,
c'est qu'il me fallait veiller mon maître et passer la nuit

comme une garde-malade. Je ne me reposais que quelques
heures pendant le jour.

— Gil Blas, me dit dès la seconde nuit le chanoine, tu as
de l'adresse et de l'activité; je prévois que je m'accommo-
5 derai bien de ton service. Je te recommande seulement
d'avoir de la complaisance pour Jacinte et de faire docilement tout ce qu'elle te dira, comme si je te l'ordonnais
moi-même. C'est une fille qui me sert depuis quinze
années avec un zèle tout particulier; elle a un soin de ma
10 personne que je ne puis assez reconnaître. Aussi, je te
l'avoue, elle m'est plus chère que toute ma famille.

— Vous avez raison, monsieur, dis-je; la reconnaissance
devrait avoir plus de force sur nous que les lois de la nature.

— Sans doute, reprit-il, et mon testament fera bien voir
15 que je ne me soucie guère de mes parents. Ma gouvernante y aura bonne part et tu n'y seras pas oublié, si tu
continues comme tu commences à me servir.

Voulant passer pour un valet que la fatigue ne pouvait
rebuter, je faisais mon service de la meilleure grâce qu'il
20 m'était possible. Je ne me plaignais point d'être toutes les
nuits sur pied. Pourtant je trouvais cela très désagréable,
et, sans le legs dont je repaissais mon espérance, je me
serais bientôt dégoûté de ma position.

CHAPITRE XX

LE DOCTEUR SANGRADO

Je servais le chanoine Sédillo depuis trois mois, lorsqu'il
25 tomba malade. La fièvre le prit, et, avec le mal qu'elle lui
causait, il sentit irriter sa goutte. Pour la première fois de

LE DOCTEUR SANGRADO

sa vie, qui avait été longue, il eut recours aux médecins. Il
demanda le docteur Sangrado, que tout Valladolid re-
gardait comme un Hippocrate. Jacinte aurait mieux aimé
que le chanoine eût commencé par faire son testament;
5 elle lui en toucha même quelques mots; mais, outre qu'il
ne se croyait pas encore proche de sa fin, il avait de l'opiniâtreté dans certaines choses.

J'allai donc chercher le docteur Sangrado et je l'amenai
au logis. C'était un grand homme sec et pâle. Il avait
10 l'extérieur grave, il pesait ses discours et donnait de la
noblesse à ses expressions.

Après avoir observé mon maître, il lui demanda:

— A quelle nourriture êtes-vous accoutumé?

— Je mange ordinairement, répondit le chanoine, des
15 bisques et des viandes succulentes.

— Des bisques et des viandes succulentes! s'écria le
docteur avec surprise. Ah! vraiment, je ne m'étonne plus
si vous êtes malade! Les mets délicieux sont des plaisirs
empoisonnés; ce sont des pièges que la volupté tend aux
20 hommes pour les faire périr plus sûrement. Il faut que vous
renonciez aux aliments de bon goût; les plus fades sont
les meilleurs pour la santé. Comme le sang est insipide, il
veut des mets qui tiennent de sa nature. Et buvez-vous
du vin? ajouta-t-il.

25 — Oui, dit le licencié, du vin trempé.

— Oh! trempé tant qu'il vous plaira, reprit le médecin.
Quel dérèglement! voilà un régime épouvantable! Il y a
longtemps que vous devriez être mort. Quel âge avez-
vous?

30 — J'entre dans ma soixante-neuvième année, répondit le
chanoine.

— Justement, répliqua le médecin, une vieillesse anticipée est toujours le fruit de l'intempérance. Si vous n'aviez bu que de l'eau claire toute votre vie, et que vous vous fussiez contenté d'une nourriture simple, de pommes cuites, par exemple, de pois ou de fèves, vous ne seriez pas présentement tourmenté de la goutte, et tous vos 5 membres feraient encore facilement leurs fonctions. Je ne désespère pas toutefois de vous remettre sur pied, pourvu que vous vous abandonniez à mes ordonnances.

Le licencié, tout friand qu'il était, promit de lui obéir en toutes choses. Alors Sangrado m'envoya chercher un 10 chirurgien qu'il me nomma et fit tirer à mon maître six bonnes palettes de sang. Puis il dit au chirurgien:

— Maître Martin Oñez, revenez dans trois heures en faire autant, et demain vous recommencerez. C'est une erreur de penser que le sang soit nécessaire à la conservation 15 de la vie; on ne peut trop saigner un malade. Comme il n'est obligé à aucun mouvement ou exercice considérable, et qu'il n'a rien à faire que de ne point mourir, il ne lui faut pas plus de sang pour vivre qu'à un homme endormi; la vie, dans tous les deux, ne consiste que dans le pouls et 20 dans la respiration.

Le bon chanoine, s'imaginant qu'un si grand médecin ne pouvait faire de faux raisonnements, se laissa saigner sans résistance. Lorsque le docteur eut ordonné de fréquentes et copieuses saignées, il dit qu'il fallait aussi donner au 25 chanoine de l'eau chaude à tout moment, assurant que l'eau bue en abondance pouvait passer pour le véritable spécifique contre toutes sortes de maladies. Il sortit ensuite en disant d'un air de confiance à Jacinte et à moi qu'il répondait de la vie du malade, si on le traitait de la 30 manière qu'il venait de prescrire.

La gouvernante, qui jugeait peut-être autrement que

lui de sa méthode, protesta qu'on la suivrait avec exactitude.   En effet, nous mîmes promptement de l'eau
chauffer, et, comme le médecin nous avait recommandé
surtout de ne point l'épargner, nous en fîmes d'abord boire
5 à mon maître deux ou trois pintes à longs traits.   Une
heure après, nous réitérâmes; puis, revenant encore de
temps en temps à la charge, nous versâmes dans son estomac un déluge d'eau.   D'un autre côté, le chirurgien nous
secondant par la quantité de sang qu'il tirait, nous ré-
10 duisîmes, en moins de deux jours, le vieux chanoine à
l'extrémité.

CHAPITRE XXI

LE TESTAMENT DU CHANOINE

Ce pauvre ecclésiastique n'en pouvant plus, comme je
voulais lui faire avaler encore un grand verre du spécifique,
il me dit d'une voix faible:

15 — Arrête, Gil Blas; ne m'en donne pas davantage, mon
ami.   Je vois bien qu'il me faut mourir, malgré la vertu de
l'eau, et, quoiqu'il me reste à peine une goutte de sang, je
ne m'en porte pas mieux pour cela; ce qui prouve bien que
le plus habile médecin du monde ne saurait prolonger nos
20 jours quand leur terme fatal est arrivé.   Il faut donc que
je me prépare à partir pour l'autre monde.   Va me chercher
un notaire; je veux faire mon testament.

A ces derniers mots, que je n'étais pas fâché d'entendre,
j'affectai de paraître fort triste, ce que tout héritier ne
25 manque pas de faire en pareil cas, et, cachant l'envie que
j'avais de m'acquitter de la commission qu'il me donnait,
je lui dis:

— Eh ! mais, monsieur, vous n'êtes pas si bas, Dieu merci, que vous ne pouvez vous relever.

— Non, non, mon enfant, repartit-il, c'en est fait; je sens que la mort s'approche; hâte-toi d'aller où je t'ai dit.

Je m'aperçus effectivement qu'il changeait à vue d'œil, et 5 la chose me parut si pressante que je sortis vite pour faire ce qu'il m'ordonnait, laissant auprès de lui Jacinte, qui craignait encore plus que moi qu'il ne mourût sans tester. J'entrai dans la maison du premier notaire dont on m'indiqua la demeure, et par bonheur je le trouvai chez lui. 10

— Monsieur, lui dis-je, le licencié Sédillo, mon maître, tire à sa fin; il veut faire écrire ses dernières volontés; il n'y a pas un moment à perdre.

Le notaire était un petit vieillard gai, qui se plaisait à railler; il me demanda quel médecin voyait le chanoine. 15 Je lui répondis que c'était le docteur Sangrado. A ce nom, il prit brusquement son manteau et son chapeau en s'écriant:

— Vive Dieu ! partons donc en diligence, car ce docteur est si expéditif qu'il ne donne pas le temps à ses malades 20 d'appeler des notaires. Cet homme-là m'a soufflé bien des testaments.

En parlant de cette sorte, il s'empressa de sortir avec moi, et, pendant que nous marchions tous deux à grands pas pour prévenir l'agonie, je lui dis: 25

— Monsieur, vous savez qu'un testateur mourant manque souvent de mémoire; si par hasard mon maître vient à m'oublier, je vous prie de le faire souvenir de mon zèle.

— Je le veux bien, mon enfant, me répondit le notaire; 30 tu peux compter là-dessus. Il est juste qu'un maître récompense un domestique qui l'a bien servi.

Le licencié, quand nous arrivâmes dans sa chambre, avait encore tout son bon sens. Jacinte, le visage baigné de pleurs de commande, était auprès de lui. Elle venait de jouer son rôle et de préparer le bonhomme à lui faire beau-
5 coup de bien. Nous laissâmes le notaire seul avec mon maître et passâmes, elle et moi, dans l'antichambre, où nous rencontrâmes le chirurgien que le médecin envoyait faire une nouvelle et dernière saignée. Nous l'arrêtâmes.

— Attendez, maître Martin, lui dit la gouvernante;
10 vous ne sauriez entrer présentement dans la chambre de monsieur Sédillo. Il va dicter ses dernières volontés à un notaire qui est avec lui; vous le saignerez tout à votre aise quand il aura fait son testament.

Nous avions grand'peur, la gouvernante et moi, que le
15 chanoine ne mourût en testant; mais, par bonheur, l'acte qui causait notre inquiétude se fit. Nous vîmes sortir le notaire, qui, me trouvant sur son passage, me frappa sur l'épaule et me dit en souriant:

— On n'a point oublié Gil Blas.

20 A ces mots, je ressentis une joie très vive et je sus si bon gré à mon maître de s'être souvenu de moi que je me promis de bien prier Dieu pour lui après sa mort, qui arriva bientôt; car, le chirurgien l'ayant encore saigné, le pauvre vieillard, qui n'était déjà que trop affaibli, expira presque
25 dans le moment.

Comme il rendait le dernier soupir, le docteur Sangrado parut et demeura un peu sot, malgré l'habitude qu'il avait de dépêcher ses malades. Cependant, loin d'imputer la mort du chanoine à la boisson et aux saignées, il sortit en
30 disant d'un air froid qu'on ne lui avait pas tiré assez de sang ni fait boire assez d'eau chaude.

Le chirurgien, voyant aussi qu'on n'avait plus besoin de

son ministère, suivit le docteur, l'un et l'autre disant que dès le premier jour ils avaient condamné le licencié. Effectivement, ils ne se trompaient presque jamais quand ils portaient un pareil jugement.

Sitôt que nous vîmes le patron sans vie, nous fîmes, Jacinte et moi, un concert de cris funèbres qui fut entendu de tout le voisinage. La gouvernante surtout, qui avait le plus grand sujet de se réjouir, poussait des accents si plaintifs qu'elle semblait être la personne du monde la plus touchée. La chambre, en un instant, se remplit de gens, moins attirés par la compassion que par la curiosité.

Les parents du défunt n'eurent pas plus tôt vent de sa mort qu'ils vinrent fondre au logis et faire mettre le scellé partout. Ils trouvèrent la gouvernante si affligée qu'ils crurent d'abord que le chanoine n'avait point fait de testament, mais ils apprirent bientôt à leur grand regret qu'il y en avait un, revêtu de toutes les formalités nécessaires.

Lorsqu'on vint à l'ouvrir et qu'ils virent que le testateur avait disposé de ses meilleurs effets en faveur de Jacinte et de la petite fille, sa nièce, ils firent son oraison funèbre dans des termes peu honorables à sa mémoire. Ils apostrophèrent en même temps la gouvernante et firent aussi quelque mention de moi. Il faut avouer que je le méritais bien. Le chanoine, devant Dieu soit son âme! pour m'engager à me souvenir de lui toute ma vie, s'expliquait ainsi pour mon compte par un article de son testament: « *Item*, puisque Gil Blas est un garçon qui a déjà de la littérature, pour achever de le rendre savant, je lui laisse ma bibliothèque, tous mes livres et mes manuscrits, sans aucune exception. »

J'ignorais où pouvait être cette prétendue bibliothèque;

je ne m'étais point aperçu qu'il y en eût dans la maison. Je
savais seulement qu'il y avait quelques papiers avec cinq
ou six volumes sur deux petits ais de sapin dans le cabinet
de mon maître: c'était là mon legs. Encore les livres ne
5 pouvaient-ils m'être d'une grande utilité: l'un avait pour
titre *Le Cuisinier parfait,* un autre traitait de l'indigestion
et de la manière de la guérir; et les autres étaient les quatre
parties du bréviaire, que les vers avaient à demi rongées.
A l'égard des manuscrits, le plus curieux contenait toutes
10 les pièces d'un procès que le chanoine avait eu autrefois pour
sa prébende.

Après avoir examiné mon legs avec plus d'attention
qu'il n'en méritait, je l'abandonnai aux parents qui me
l'avaient tant envié. Je leur remis même l'habit dont
15 j'étais revêtu et je repris le mien, bornant à mes gages la
récompense de mes services.

CHAPITRE XXII

CHEZ L'ARCHEVÊQUE DE GRENADE

Je quittai Valladolid et allai à Madrid, où je remplis
plusieurs postes, entre autres celui d'intendant chez don
Alphonse de Leyva. J'avais envie de voir les royaumes de
20 Murcie et de Grenade. Dans ce dessein je sortis de
Madrid et voyageai de ville en ville jusqu'à Grenade, sans
qu'il m'arrivât aucune mauvaise aventure.

Une des premières personnes que je rencontrai dans les
25 rues de Grenade fut don Fernand de Leyva, dont j'avais
fait la connaissance chez son cousin, don Alphonse. Nous
fûmes également surpris l'un et l'autre de nous revoir.

— Comment donc, Gil Blas, s'écria don Fernand, vous dans cette ville ! Qui vous amène ici ?

— Monsieur, lui dis-je, j'ai quitté le service de don Alphonse et je cherche une position. Si quelqu'un de vos amis a besoin d'un secrétaire ou d'un intendant, je vous conjure de lui parler en ma faveur.

— Très volontiers, répondit-il, je ferai ce que vous souhaitez. Je demeure dans cette maison, poursuivit-il en me montrant un hôtel qui était à cent pas de nous. Venez me trouver dans quelques jours; je vous aurai peut-être déjà procuré un poste convenable.

Effectivement, la première fois que nous nous revîmes, il me dit:

— Monseigneur l'archevêque de Grenade, mon parent et mon ami, voudrait avoir près de lui un homme qui eût de la littérature et une belle main pour mettre au net ses écrits, car c'est un grand auteur. Il a composé je ne sais combien d'homélies et il en fait encore tous les jours. Comme je vous crois son homme, je vous ai proposé et il m'a promis de vous prendre. Allez vous présenter à lui de ma part; vous jugerez, par la réception qu'il vous fera, si je lui ai parlé de vous avantageusement.

La position me parut telle que je pouvais la désirer. Ainsi, m'étant préparé de mon mieux à paraître devant le prélat, je me rendis un matin à l'archevêché, où je trouvai une multitude d'ecclésiastiques et de gens de maison. Ceux-ci avaient tous des habits superbes; on les aurait pris pour des seigneurs plutôt que pour des domestiques. Je m'adressai à un grave et gros personnage qui se tenait à la porte du cabinet de l'archevêque pour l'ouvrir et la fermer quand il le fallait. Je lui demandai civilement s'il n'y avait pas moyen de parler à Monseigneur.

— Attendez, me dit-il d'un air sec, Sa Grandeur va sortir pour aller entendre la messe; elle vous donnera en passant un moment d'audience.

Je ne répondis pas un mot. Je m'armai de patience et je
5 m'avisai de vouloir lier conversation avec quelques-uns des officiers, mais ils commencèrent à m'examiner de la tête aux pieds, sans daigner me répondre une syllabe; après quoi ils se regardèrent les uns les autres en souriant de la liberté que j'avais prise de me mêler à leur entretien.
10 Je demeurai, je l'avoue, tout déconcerté de me voir traiter ainsi par des valets. Je n'étais pas encore bien remis de ma confusion quand la porte du cabinet s'ouvrit. L'archevêque parut. Il se fit aussitôt un profond silence parmi ses officiers, qui quittèrent tout à coup leur maintien
15 insolent pour prendre un air respectueux devant leur maître.

Ce prélat était dans sa soixante-neuvième année, fait à peu près comme mon oncle le chanoine Gil Perez, c'est-à-dire gros et court. Il avait par-dessus le marché les jambes
20 fort tournées en dedans et il était si chauve qu'il ne lui restait qu'un toupet de cheveux par derrière. Malgré tout cela, je lui trouvais l'air d'un homme de qualité, sans doute parce que je savais qu'il en était un.

L'archevêque s'avança vers moi d'abord et me demanda
25 d'un ton de voix plein de douceur ce que je souhaitais. Je lui dis que j'étais le jeune homme dont don Fernand de Leyva lui avait parlé. Il ne me donna pas le temps de lui en dire davantage.

— Ah ! c'est vous, s'écria-t-il, c'est vous dont il m'a fait
30 un si bel éloge ? Je vous retiens à mon service. Vous n'avez qu'à demeurer ici.

A ces mots il s'appuya sur deux écuyers et sortit après

avoir écouté des ecclésiastiques qui avaient quelque chose à
lui communiquer. A peine fut-il hors de la chambre où
nous étions, que les mêmes officiers qui avaient dédaigné
ma conversation vinrent la rechercher. Les voilà qui
m'environnent et me témoignent de la joie de me voir 5
devenir commensal de l'archevêché. Ils avaient entendu
les paroles que leur maître m'avait dites, et ils mouraient
d'envie de savoir sur quel pied j'allais être auprès de lui;
mais j'eus la malice de ne pas contenter leur curiosité pour
me venger de leur mépris.   10

Monseigneur ne tarda guère à revenir. Il me fit entrer
dans son cabinet pour m'entretenir en particulier. Je
jugeai bien qu'il avait dessein de tâter mon esprit. Je me
tins sur mes gardes et me préparai à mesurer toutes mes
paroles. Il m'interrogea d'abord sur les humanités. Je 15
ne répondis pas mal à ses questions; il vit que je connaissais assez les auteurs grecs et latins. Il me mit ensuite sur
la dialectique; c'est où je l'attendais. Il me trouva là-
dessus ferré à glace.

—Votre éducation, me dit-il avec quelque sorte de 20
surprise, n'a point été négligée. Voyons maintenant votre
écriture.

J'en tirai de ma poche une feuille que j'avais apportée
exprès. Mon prélat n'en fut pas mal satisfait.

—Je suis content de votre main, s'écria-t-il, et plus 25
encore de votre esprit. Je remercierai mon neveu don
Fernand de m'avoir donné un garçon si instruit. C'est un
vrai présent qu'il m'a fait.

Nous fûmes interrompus par l'arrivée de quelques seigneurs grenadins qui venaient dîner avec l'archevêque. 30
Je les laissai ensemble et allai manger avec les valets, qui
me prodiguèrent les civilités.

CHAPITRE XXIII

GIL BLAS DEVIENT CONFIDENT DE L'ARCHEVÊQUE

J'étais allé dans l'après-midi chercher mes hardes
à l'hôtellerie où j'étais logé, après quoi j'étais revenu
souper à l'archevêché, où l'on m'avait préparé une chambre
fort propre et un lit de duvet.

5   Le lendemain, Monseigneur me fit appeler de bon
matin. C'était pour me donner une homélie à transcrire.
Mais il me recommanda de la copier avec toute l'exactitude
possible. Je n'y manquai pas; je n'oubliai ni accent, ni
point, ni virgule. Aussi la joie qu'il en témoigna fut mêlée
10 de surprise.

   — Père éternel ! s'écria-t-il avec transport, lorsqu'il eut
parcouru des yeux toutes les feuilles de ma copie, vit-on
jamais rien de plus correct ? Vous êtes trop bon copiste
pour n'être pas grammairien. Parlez-moi franchement,
15 mon ami: n'avez-vous rien trouvé en écrivant qui vous ait
choqué, quelque négligence dans le style ou quelque terme
impropre ? Cela peut fort bien m'avoir échappé dans le
feu de la composition.

   — Oh ! Monseigneur, lui répondis-je d'un air modeste,
20 je ne suis point assez éclairé pour faire des observations
critiques, et, quand je le serais, je suis persuadé que les
ouvrages de Votre Grandeur braveraient ma censure.

   Le prélat sourit de ma réponse. Il ne répliqua point,
mais il me laissa voir, au travers de toute sa piété, qu'il
25 n'était pas auteur impunément.

   J'achevai de gagner ses bonnes grâces par cette flatterie.
Je lui devins plus cher de jour en jour, et j'appris de don
Fernand, qui venait le voir très souvent, que j'en étais aimé

de manière que je pouvais compter ma fortune faite. Cela me fut confirmé peu de temps après par mon maître même.

Un soir il répéta devant moi avec enthousiasme, dans son cabinet, une homélie qu'il devait prononcer le lende- 5 main dans la cathédrale. Il ne se contenta pas de me demander ce que j'en pensais en général, il m'obligea de lui dire les endroits qui m'avaient le plus frappé. J'eus le bonheur de lui citer ses morceaux favoris. Par là je passai dans son esprit pour un homme qui avait une connaissance délicate des vraies beautés d'un ouvrage. 10

— Voilà, s'écria-t-il avec vivacité, ce qu'on appelle avoir du goût et du sentiment ! Gil Blas, sois désormais sans inquiétude sur ton sort; je me charge de t'en faire un des plus agréables. Je t'aime et, pour te le prouver, je te fais mon confident. 15

Je n'eus pas sitôt entendu ces paroles que je tombai aux pieds de Sa Grandeur, tout pénétré de reconnaissance. J'embrassai de bon cœur ses jambes cagneuses et je me regardai comme un homme qui était en train de s'enrichir.

— Oui, mon enfant, reprit l'archevêque, dont mon ac- 20 tion avait interrompu le discours, je veux te rendre dépositaire de mes plus secrètes pensées. Écoute avec attention ce que je vais te dire. Je me plais à prêcher. Le Seigneur bénit mes homélies; elles touchent les pécheurs, les font rentrer en eux-mêmes et recourir à la 25 pénitence. Ces conversions, qui sont fréquentes, devraient toutes seules m'exciter au travail. Néanmoins, je t'avouerai ma faiblesse; je me propose encore un autre prix: c'est l'estime que le monde a pour les écrits fins et limés. L'honneur de passer pour un parfait orateur a des 30 charmes pour moi. On trouve mes ouvrages également forts et délicats; mais je voudrais bien éviter le défaut des

GRÂCE AU CIEL, MONSEIGNEUR, VOUS ÊTES ENCORE FORT
ÉLOIGNÉ DE CE TEMPS-LÀ !

bons auteurs qui écrivent trop longtemps et me sauver avec toute ma réputation. Ainsi, mon cher Gil Blas, continua le prélat, j'exige une chose de ton zèle: quand tu t'apercevras que ma plume sent la vieillesse, lorsque tu me verras baisser, ne manque pas de m'en avertir. Je ne me 5 fie point à moi là-dessus; mon amour-propre pourrait me séduire. Cette remarque demande un esprit désintéressé. Je fais choix du tien, que je connais bon; je m'en rapporterai à ton jugement.

— Grâce au ciel, monseigneur, lui dis-je, vous êtes encore 10 fort éloigné de ce temps-là ! De plus, un esprit de la trempe de celui de Votre Grandeur se conservera beaucoup mieux qu'un autre, ou, pour parler plus juste, vous serez toujours le même. Je vous regarde comme un autre cardinal Ximénès, dont le génie supérieur, au lieu de s'affaiblir par 15 les années, semblait en recevoir de nouvelles forces.

— Point de flatterie, mon ami ! interrompit-il. Je sais que je puis tomber tout d'un coup. A mon âge on commence à sentir les infirmités, et les infirmités du corps altèrent l'esprit. Je te le répète, Gil Blas, dès que tu jugeras 20 que ma tête s'affaiblit, donne-m'en aussitôt avis. Ne crains pas d'être franc et sincère; je recevrai cet avertissement comme une marque d'affection pour moi. D'ailleurs, il y va de ton intérêt: si par malheur pour toi il me revenait qu'on dit dans la ville que mes discours n'ont plus leur 25 force ordinaire et que je devrais me reposer, je te le déclare tout net, tu perdrais avec mon amitié la fortune que je t'ai promise. Tel serait le fruit de ta sotte discrétion.

Le patron cessa de parler en cet endroit pour entendre ma réponse, qui fut une promesse de faire ce qu'il sou- 30 haitait. Depuis ce moment-là il n'eut plus rien de caché pour moi; je devins son favori.

CHAPITRE XXIV

IL Y A DISCRÉTION ET DISCRÉTION

Quelques mois après, dans le temps de ma plus grande faveur, nous eûmes une chaude alarme au palais épiscopal; l'archevêque tomba en apoplexie. On le secourut si promptement et on lui donna de si bons remèdes qu'au bout de
5 quelques jours il n'y paraissait plus. Mais son esprit en reçut une rude atteinte. Je le remarquai bien dès la première homélie qu'il composa. Je ne trouvai pas toutefois la différence entre celle-là et les autres assez sensible pour conclure que l'orateur commençait à baisser. J'attendis
10 encore une homélie pour mieux savoir à quoi m'en tenir. Oh! pour celle-là, elle fut décisive. Tantôt le bon prélat se répétait, tantôt il s'élevait trop haut ou descendait trop bas.

Je ne fus pas le seul qui y prit garde. La plupart des
15 auditeurs, comme s'ils avaient été payés, eux aussi, pour l'examiner, se disaient tout bas les uns aux autres:

— Voilà un sermon qui sent l'apoplexie.

— Allons, monsieur l'arbitre des homélies, me dis-je alors en moi-même, préparez-vous à faire votre devoir.
20 Vous voyez que Monseigneur tombe; vous devez l'en avertir, non seulement comme dépositaire de ses pensées, mais encore de peur que quelqu'un de ses amis ne soit assez franc pour vous prévenir. En ce cas-là, vous savez ce qu'il en arriverait: vous seriez biffé de son testament, où
25 il y aura sans doute pour vous un meilleur legs que la bibliothèque du licencié Sédillo.

Après ces réflexions, j'en faisais d'autres toutes contraires: l'avertissement dont il s'agissait me paraissait

délicat à donner. Je jugeais qu'un auteur entêté de ses
ouvrages pourrait le recevoir mal; mais, rejetant cette
pensée, je me représentais qu'il était impossible qu'il le
prît en mauvaise part, après l'avoir exigé de moi d'une
manière si pressante. Ajoutons à cela que je comptais   5
bien lui parler avec adresse et lui faire avaler la pilule tout
doucement. Enfin, trouvant que je risquais plus à garder
le silence qu'à le rompre, je me déterminai à parler.

Je n'étais plus embarrassé que d'une chose: je ne savais
de quelle façon entamer la parole. Heureusement l'orateur 10
lui-même me tira de cet embarras en me demandant ce
qu'on disait de lui dans le monde, et si l'on était satisfait
de son dernier discours. Je répondis qu'on admirait toujours ses homélies mais qu'il me semblait que la dernière
n'avait pas si bien que les autres affecté l'auditoire.   15

— Comment donc, mon ami, répliqua-t-il avec étonnement, aurait-elle trouvé quelque censeur ?

— Non, Monseigneur, lui repartis-je, non. Ce ne sont
pas des ouvrages tels que les vôtres que l'on ose critiquer;
il n'y a personne qui n'en soit charmé. Néanmoins, puisque 20
vous m'avez recommandé d'être franc et sincère, je pren-
drai la liberté de vous dire que votre dernier discours ne
me paraît pas tout à fait de la force des précédents. Ne
pensez-vous pas cela comme moi ?

Ces paroles firent pâlir mon maître, qui me dit avec un 25
sourire forcé:

— Monsieur Gil Blas, cette pièce n'est donc pas de
votre goût ?

— Je ne dis pas cela, Monseigneur, interrompis-je tout
déconcerté. Je la trouve excellente, quoique un peu au- 30
dessous de vos autres ouvrages.

— Je vous entends, répliqua-t-il. Je vous parais baisser,

n'est-ce pas ? Tranchez le mot. Vous croyez qu'il est temps que je songe à la retraite ?

— Je n'aurais pas été assez hardi, lui dis-je, pour vous parler si librement, si Votre Grandeur ne me l'avait or-
5 donné. Je ne fais donc que lui obéir et je la supplie très humblement de ne point me savoir mauvais gré de ma hardiesse.

— A Dieu ne plaise, interrompit-il avec précipitation, que je vous la reproche. Je serais bien injuste. Je ne trouve
10 point du tout mauvais que vous me disiez votre sentiment. C'est votre sentiment seul que je trouve mauvais. J'ai été furieusement la dupe de votre intelligence bornée.

Quoique démonté, je voulus chercher quelque modifica-tion pour rajuster les choses; mais le moyen d'apaiser un
15 auteur irrité, et de plus un auteur accoutumé à s'entendre louer ?

— N'en parlons plus, mon enfant, dit-il. Vous êtes encore trop jeune pour démêler le vrai du faux. Apprenez que je n'ai jamais composé de meilleure homélie que celle
20 qui a le malheur de n'avoir pas votre approbation. Mon esprit, grâce au ciel, n'a rien encore perdu de sa vigueur. Désormais je choisirai mieux mes confidents; j'en veux de plus capables que vous de décider. Allez, poursuivit-il en me poussant par les épaules hors de son cabinet, allez dire
25 à mon trésorier qu'il vous compte cent ducats, et que le ciel vous conduise avec cette somme ! Adieu, monsieur Gil Blas, je vous souhaite toutes sortes de prospérités avec un peu plus de goût.

Je sortis du cabinet en maudissant le caprice, ou, pour
30 mieux dire, la faiblesse de l'archevêque, et plus en colère contre lui qu'affligé d'avoir perdu ses bonnes grâces. Je doutai même quelque temps si j'irais toucher mes cent

ducats; mais, après y avoir bien réfléchi, je ne fus pas
assez sot pour n'en rien faire.

J'allai donc demander cent ducats au trésorier sans lui
dire un seul mot de ce qui venait de se passer entre son
maître et moi. J'avais décidé de retourner à Madrid.
Je voulais me pousser à la cour, où un génie supérieur, à
ce que j'avais entendu dire, n'était pas absolument nécessaire pour s'avancer.

CHAPITRE XXV

GIL BLAS À MADRID

Dès que je fus à Madrid, le bonheur se présenta à moi
sous la forme d'un nouveau maître, don Diègue de 10
Monteser, l'un des deux hommes de confiance du duc de
Lerme, premier ministre d'Espagne. Je fus installé chez lui
dans l'emploi d'un intendant qui avait été congédié.

Un jour nous apprîmes que le feu avait pris au château de
Lerme et que plus de la moitié était réduite en cendres. Je 15
me rendis aussitôt sur les lieux pour examiner le dommage.
Là, m'étant informé avec exactitude des circonstances de
l'incendie, j'en composai une ample relation, que Monteser
fit voir au duc de Lerme.

Ce ministre, malgré le chagrin qu'il avait d'entendre une 20
si mauvaise nouvelle, fut frappé de la relation et ne put
s'empêcher de demander qui en était l'auteur. Don
Diègue ne se contenta pas de le lui dire; il lui parla de
moi si avantageusement que Son Excellence s'en ressou-
vint six mois après, lorsqu'un de ses secrétaires mourut. 25
Il me choisit pour remplacer ce jeune homme.

Ce fut Monteser qui m'annonça cette agréable nouvelle. Nous allâmes immédiatement chez le ministre, que nous trouvâmes dans une grande salle, occupé à donner audience. Il y avait là plus de monde que chez le roi. J'y 5 vis des chevaliers de Saint-Jacques et de Calatrava, des évêques et de bons pères qui sollicitaient tous des faveurs.

Nous eûmes la patience d'attendre que le duc eût expédié tous ces suppliants. Alors don Diègue lui dit:

— Monseigneur, voici Gil Blas de Santillane, ce jeune 10 homme que Votre Excellence a choisi pour secrétaire.

A ces mots le ministre jeta les yeux sur moi en disant obligeamment que j'avais déjà mérité la place par le service que je lui avais rendu. Il me fit entrer ensuite dans son cabinet pour m'entretenir en particulier ou plutôt pour 15 juger de mon esprit par ma conversation. D'abord il voulut savoir qui j'étais et la vie que j'avais menée jusque-là. Il exigea même de moi là-dessus une narration sincère. Comment sortir de cet embarras? Je pris le parti de farder la vérité en certains endroits. Mais il la démêla 20 malgré tout mon art.

— Monsieur de Santillane, me dit-il en souriant à la fin de mon récit, à ce que je vois, vous avez été tant soit peu aventurier.

— Monseigneur, lui répondis-je en rougissant, Votre 25 Excellence m'a ordonné d'avoir de la sincérité: je lui ai obéi.

— Je t'en sais bon gré, répliqua-t-il. Va, mon enfant, tu en es quitte à bon marché; je m'étonne que le mauvais exemple ne t'ait pas entièrement perdu. Ne te souviens 30 plus du passé; songe que tu es maintenant au roi et que tu seras désormais occupé pour lui. Tu n'as qu'à me suivre; je vais t'apprendre en quoi consisteront tes occupations.

A ces mots le duc me mena dans un petit cabinet qui joignait le sien et où il y avait sur des tablettes une vingtaine de registres in-folio fort épais.

— C'est ici, me dit-il, que tu travailleras. Tous ces registres que tu vois composent un dictionnaire de toutes les familles nobles dans les royaumes et principautés de la monarchie d'Espagne. Chaque livre contient, par ordre alphabétique, l'histoire abrégée de tous les gentilshommes d'un royaume, dans laquelle sont détaillés les services qu'eux et leurs ancêtres ont rendus à l'État, aussi bien que les affaires d'honneur qui peuvent leur être arrivées. On y fait encore mention de leurs biens, de leurs mœurs, en un mot de toutes leurs bonnes et mauvaises qualités; en sorte que, lorsqu'ils viennent demander des grâces à la cour, je vois d'un coup d'œil s'ils les méritent. Pour savoir exactement toutes ces choses, j'ai partout des pensionnaires qui ont soin de s'en informer et de m'en instruire par des mémoires qu'ils m'envoient; mais, comme ces mémoires sont diffus et remplis de façons de parler provinciales, il faut les rédiger et en polir la diction, parce que le roi se fait lire quelquefois ces registres. C'est à ce travail, qui demande un style net et concis, que je veux t'employer dès ce moment même.

En parlant ainsi, il tira d'un grand portefeuille plein de papiers un mémoire qu'il me mit entre les mains; puis il sortit de mon cabinet pour m'y laisser faire mon coup d'essai en liberté. Je lus le mémoire, qui me parut farci de termes barbares, et me mis à le rédiger.

J'avais déjà fait quatre ou cinq pages, quand le duc, impatient de savoir comment je m'y prenais, revint et me dit:

— Santillane, montre-moi ce que tu as fait; je suis curieux de le voir.

En même temps, jetant la vue sur mon ouvrage, il en lut le commencement avec beaucoup d'attention. Il en parut si content que j'en fus surpris.

— Tout prévenu que j'étais en ta faveur, reprit-il, je
5 t'avoue que tu as surpassé mon attente. Tu écris non seulement avec toute la netteté et la précision que je désirais, mais je trouve ton style léger et enjoué. Tu justifies bien le choix que j'ai fait de ta plume et tu me consoles de la perte de ton prédécesseur.

10 Le ministre n'aurait pas borné là mon éloge, si le comte de Lemos, son neveu, n'était venu l'interrompre en cet endroit. Son Excellence l'embrassa plusieurs fois et le reçut d'une manière qui me fit voir qu'elle l'aimait tendrement.

15 Pendant qu'ils étaient enfermés ensemble, j'entendis sonner midi. Comme je savais que les secrétaires et les commis quittaient à cette heure-là leurs bureaux pour aller dîner où il leur plaisait, je laissai là mon chef-d'œuvre et sortis pour me rendre chez le plus fameux traiteur du
20 quartier de la cour.

Une auberge ordinaire ne me convenait plus. *Songe que tu es maintenant au roi:* ces paroles que le duc m'avait dites s'offraient sans cesse à ma mémoire et devenaient des semences d'ambition qui germaient dans mon esprit.

25 J'eus grand soin, en entrant, d'apprendre au traiteur que j'étais un secrétaire du premier ministre, et, en cette qualité, je ne savais ce que je devais commander pour mon dîner. Comme j'avais peur de demander quelque chose qui sentît l'épargne, je dis au traiteur de me donner ce qu'il
30 lui plairait. Il me régala bien et l'on me servit avec des marques de considération qui me faisaient encore plus de plaisir que la bonne chère. Quand il fut question de payer,

je jetai sur la table une pistole, laissant aux valets la
monnaie. Après quoi je sortis de chez le traiteur en me
rengorgeant comme un jeune homme fort content se sa
personne.

CHAPITRE XXVI

LES HONNEURS N'APAISENT PAS LA FAIM

Il y avait à vingt pas de là un grand hôtel garni, où 5
logeaient d'ordinaire des seigneurs étrangers. J'y louai un
appartement de cinq ou six pièces bien meublées. Il
semblait que j'eusse déjà deux ou trois mille ducats de
rente. Je donnai même le premier mois d'avance. Après
cela je retournai au travail et je m'occupai toute l'après- 10
midi à continuer ce que j'avais commencé le matin. Il
y avait dans un cabinet voisin du mien deux autres secrétaires, mais ceux-ci ne faisaient que mettre au net ce que le
duc leur apportait lui-même à copier. Je fis connaissance
avec eux ce soir-là et, pour mieux gagner leur amitié, je 15
les entraînai chez mon traiteur, où je commandai les
meilleurs mets et les vins les plus estimés.

. Pendant le repas mes convives m'apprirent qu'ils
n'étaient pas enivrés de l'honneur d'être chez le premier
ministre. 20

— Il y a déjà cinq mois, dit l'un d'eux, que nous exerçons
notre emploi à nos dépens. Nous ne touchons pas nos
appointements et nous ne savons sur quel pied nous
sommes.

— Comment faites-vous donc pour vivre ? demandai-je. 25
Vous avez des biens apparemment ?

Ils me répondirent qu'ils en avaient fort peu, mais, qu'heureusement pour eux ils étaient logés chez une honnête veuve, qui leur faisait crédit et les nourrissait pour cent pistoles chacun par année.

5   Ces discours, dont je ne perdis pas un mot, abaissèrent dans le moment mes orgueilleuses fumées et me guérirent de la rage de dépenser. Je résolus de bien ménager ma bourse et je commençai à me repentir d'avoir amené là ces secrétaires, à souhaiter la fin du repas.

10   Nous nous séparâmes à minuit, mes confrères et moi, parce que je ne les pressai pas de boire davantage. Ils s'en allèrent chez la veuve et je me retirai à mon superbe appartement, que j'enrageais d'avoir loué et que je me promettais bien de quitter à la fin du mois. J'eus beau me
15 coucher dans un bon lit, mon inquiétude m'empêcha de dormir.

J'avais de l'argent pour trois mois tout au plus. Je me proposai d'abandonner au bout de ce temps la cour et son clinquant, si je n'en recevais aucun salaire. Je fis donc mon
20 plan: je ne m'attachai plus qu'à mettre à profit les moments d'entretien que j'avais avec le duc.

Quoique Monseigneur ne fît, pour ainsi dire, que paraître et disparaître à mes yeux tous les jours, je me rendis insensiblement si agréable à Son Excellence qu'elle
25 me dit un après-midi:

— Écoute, Gil Blas, j'aime le caractère de ton esprit et j'ai de la bienveillance pour toi. Tu es un garçon zélé, fidèle, plein d'intelligence et de discrétion. Je veux te mettre dans ma confidence en te découvrant un dessein
30 que je médite. Je règne, si j'ose le dire, en Espagne. Je ne puis pousser ma fortune plus loin. Mais je tiens à la mettre à l'abri des tempêtes qui commencent à la menacer,

et pour cet effet je voudrais avoir pour successeur au ministère le comte de Lemos, mon neveu. Tu iras secrètement lui présenter cette lettre et tu me rapporteras tout ce qu'il aura à me faire savoir.

— Enfin, me disais-je après cette confidence, ma fortune est assurée; une pluie d'or va tomber sur moi. Il est impossible que le confident d'un homme qui gouverne la monarchie d'Espagne ne soit pas bientôt comblé de richesses.

En faisant de telles commissions, je me mis de jour en jour plus avant dans les bonnes grâces du premier ministre. On s'aperçut bientôt à la cour de l'affection qu'il avait pour moi. Il affecta d'en donner des marques publiquement en me chargeant de son portefeuille, qu'il avait coutume de porter lui-même lorsqu'il allait au conseil. Cette nouveauté, me faisant regarder comme un petit favori, excita l'envie de plusieurs personnes et fut cause que je reçus beaucoup de vaines promesses. Les deux secrétaires ne furent pas des derniers à me complimenter sur ma prochaine grandeur et ils m'invitèrent à souper chez la veuve pour m'engager à leur rendre service dans la suite. On me faisait fête de toutes parts.

J'accompagnais aussi le duc lorsqu'il allait chez le roi; il y allait ordinairement trois fois par jour: le matin, l'après-midi et enfin le soir. Pendant qu'il était avec Sa Majesté, je me tenais dans l'antichambre, où je voyais des personnes de qualité, avides de faveur, me rechercher et s'applaudir lorsque je voulais bien prêter l'oreille à leurs propos. Comment aurais-je pu, après cela, ne pas me croire un homme de conséquence?

Un jour j'eus un plus grand sujet de vanité. Le roi, à qui le duc avait parlé fort avantageusement de mon style,

fut curieux d'en voir un échantillon. Son Excellence me fit prendre le registre de Catalogne, me mena devant ce monarque et me dit de lire le premier mémoire que j'avais rédigé. Si la présence du prince me troubla d'abord, celle
5 du ministre me rassura bientôt, et je fis la lecture de mon ouvrage, que Sa Majesté n'entendit pas sans plaisir. Elle eut la bonté de témoigner qu'elle était contente de moi et de recommander même à son ministre d'avoir soin de ma fortune. Cela ne diminua en rien mon orgueil.

10 Avec les plus belles espérances du monde, que j'aurais été heureux si l'ambition m'avait préservé de la faim ! Il y avait plus de deux mois que je m'étais défait de mon magnifique appartement et que j'occupais une petite chambre garnie des plus modestes. Quoique cela me fît de la peine,
15 comme j'en sortais de bon matin et que je n'y rentrais que la nuit pour y coucher, je prenais patience. J'étais toute la journée sur le théâtre, c'est-à-dire chez le duc. J'y jouais un rôle de seigneur.

Mais, quand j'étais retiré dans mon taudis, le seigneur
20 s'évanouissait et il ne restait que le pauvre Gil Blas sans argent et, qui pis est, sans avoir de quoi en obtenir. Outre que j'étais trop fier pour découvrir à quelqu'un mes besoins, je ne connaissais personne qui pût m'aider. J'avais été obligé de vendre mes hardes pièce à pièce. Je n'avais plus
25 que celles dont je ne pouvais absolument me passer. Je n'allais plus à l'auberge, faute d'avoir de quoi payer mon ordinaire.

Que faisais-je donc pour subsister ? Je vais vous le dire. Tous les matins, dans nos bureaux, on nous apportait pour
30 déjeuner un petit pain et un doigt de vin; c'était tout ce que le ministre nous faisait donner. Je ne mangeais que cela dans la journée, et le soir, le plus souvent, je me cou-

VOILÀ DES OISEAUX QUI SEMBLENT SE QUERELLER

chais sans souper.   Telle était la situation d'un homme qui
brillait à la cour, quoiqu'il dût y faire plus de pitié que d'envie.

CHAPITRE XXVII

UNE FABLE QUI VIENT À PROPOS

Je ne pus plus résister à ma misère, et je me déterminai
5 enfin à la découvrir au duc de Lerme, si j'en trouvais
l'occasion.   Par bonheur elle s'offrit à l'Escurial, où le roi
et le prince d'Espagne allèrent quelques jours après.

Le ministre, un matin, s'étant levé à son ordinaire au
point du jour, me fit prendre quelques papiers avec une
10 écritoire et me dit de le suivre dans les jardins du palais.
Nous allâmes nous asseoir sous des arbres, où je me mis
par son ordre dans l'attitude d'un homme qui écrit sur la
forme de son chapeau; lui, il tenait à la main un papier
qu'il faisait semblant de lire.   Nous paraissions de loin
15 occupés d'affaires fort sérieuses, toutefois nous ne parlions
que de bagatelles, car Son Excellence ne les haïssait pas.

Il y avait plus d'une heure que je la réjouissais par toutes
sortes de saillies, quand deux pies vinrent se poser sur des
arbres qui nous couvraient de leur ombrage.   Elles com-
20 mencèrent à jacasser d'une façon si bruyante qu'elles
attirèrent notre attention.

— Voilà des oiseaux, dit le duc, qui semblent se quereller.   Je serais assez curieux de savoir le sujet de leur
querelle.

25 — Monseigneur, lui dis-je, votre curiosité me rappelle
une fable que j'ai lue chez quelque fabuliste indien.

Le ministre me demanda quelle était cette fable et je la lui racontai dans ces termes:

« Il régnait autrefois en Perse un bon monarque, qui, n'ayant pas assez d'étendue d'esprit pour gouverner lui-même ses États, en laissait le soin à son grand vizir. Ce [5] ministre, nommé Atalmuc, avait un génie supérieur; il soutenait le poids de cette vaste monarchie sans en être accablé. Il avait parmi ses secrétaires un jeune Cachemirien, appelé Zéangir, qu'il aimait plus que les autres. Atalmuc prenait plaisir à son entretien, le menait avec lui [10] à la chasse et lui découvrait jusqu'à ses plus secrètes pensées. Un jour qu'ils chassaient ensemble dans un bois, le vizir, voyant deux corbeaux qui croassaient sur un arbre, dit à son secrétaire:

» — Je voudrais bien savoir ce que ces oiseaux se disent [15] en leur langage.

» — Seigneur, lui répondit le Cachemirien, vos souhaits peuvent s'accomplir.

» — Eh, comment cela ? reprit Atalmuc.

» — C'est, repartit Zéangir, qu'un derviche m'a en- [20] seigné la langue des oiseaux. Si vous le souhaitez, j'écouterai ceux-ci et je vous répéterai mot pour mot ce que je leur aurai entendu dire.

» Le vizir y consentit. Le Cachemirien s'approcha des corbeaux et parut leur prêter une oreille attentive. Après [25] quoi, revenant à son maître, il lui dit:

» — Seigneur, le croiriez-vous ? Nous faisons le sujet de leur conversation.

» — Cela n'est pas possible, s'écria le ministre persan. Eh ! que disent-ils de nous ?   [30]

» — Un des deux, reprit le secrétaire, a dit: « Le voilà lui-même, ce grand vizir Atalmuc. Pour se délasser de ses

pénibles travaux, il chasse dans ce bois avec son fidèle
Zéangir. Que ce secrétaire est heureux de servir un maître
qui a mille bontés pour lui !»

» — Doucement, a interrompu l'autre corbeau, douce-
5 ment, ne vantez pas tant le bonheur de ce Cachemirien.
Atalmuc, il est vrai, s'entretient avec lui familièrement et
l'honore de sa confiance; je ne doute pas même qu'il
n'ait dessein de lui donner un jour un emploi considérable,
mais avant ce temps-là Zéangir mourra de faim. Ce
10 pauvre diable est logé dans une petite chambre garnie, où
il manque des choses les plus nécessaires. En un mot, il
mène une vie misérable, sans que personne s'en aperçoive à
la cour. Le grand vizir ne s'avise pas de s'informer si ses
affaires vont bien ou mal et, content d'avoir pour lui de
15 bons sentiments, il le laisse en proie à la pauvreté. »

Je cessai de parler en cet endroit pour voir venir le duc
de Lerme, qui me demanda en souriant quelle impression
cet apologue avait faite sur l'esprit d'Atalmuc et si ce grand
vizir ne s'était point offensé de la hardiesse de son secré-
20 taire.

— Non, Monseigneur, lui répondis-je, un peu troublé de
sa question; la fable dit au contraire qu'il le combla de
bienfaits.

— Cela est heureux, reprit le duc d'un air sérieux, il y a
25 des ministres qui ne trouveraient pas bon qu'on leur fît des
leçons. Mais, ajouta-t-il en rompant l'entretien et en se
levant, je crois que le roi ne tardera guère à se réveiller;
mon devoir m'appelle auprès de lui.

A ces mots, il marcha à grands pas vers le palais sans me
30 parler davantage, et très mal affecté, à ce qu'il me paraissait, de ma fable indienne. Lorsque je le vis dans l'après-
midi, il fut fort sérieux avec moi et ne me parla point du

tout; ce qui me causa le reste du jour une inquiétude mortelle.

Le lendemain matin, le duc me fit appeler. J'entrai dans sa chambre, plus tremblant qu'un criminel qu'on va juger.

— Monseigneur, lui dis-je tout en pleurs, je supplie très humblement Votre Excellence de me pardonner ma hardiesse; c'est la nécessité qui m'a forcé de vous apprendre ma misère.

Le duc ne put s'empêcher de rire du trouble où il me voyait.

— Console-toi, Gil Blas, me répondit-il, et écoute-moi. Quoiqu'en me découvrant tes besoins ce soit me reprocher de ne les avoir pas prévenus, je ne t'en sais pas mauvais gré, mon ami. Je m'en veux plutôt de ne t'avoir pas demandé comment tu vivais. Mais, pour commencer à réparer cette faute d'attention, je te donne un mandat de quinze cents ducats, qui te seront comptés à vue au trésor royal. Ce n'est pas tout: je t'en promets autant chaque année; et, de plus, quand des personnes riches et généreuses te prieront de leur rendre service, je ne te défends pas de me parler en leur faveur.

Dans le ravissement où me jetèrent ces paroles, je baisai les pieds du ministre, qui, m'ayant commandé de me relever, continua de s'entretenir familièrement avec moi. Il m'avoua dans la suite qu'il avait feint d'être fâché contre moi pour éprouver mon affection pour lui et qu'en voyant le chagrin que cela m'avait causé il m'en aimait davantage.

CHAPITRE XXVIII

GIL BLAS AFFAMÉ DE RICHESSES

Le roi retourna le lendemain à Madrid. Je volai d'abord au trésor royal, où je touchai sur-le-champ la somme contenue dans mon mandat. Il est rare que la tête ne tourne pas à un gueux qui passe subitement de la misère à l'opu-
5 lence. Je changeai tout à coup avec la fortune. Je n'écoutai plus que mon ambition et ma vanité. J'abandonnai ma misérable chambre garnie aux secrétaires qui ne savaient pas encore la langue des oiseaux, et je louai pour la seconde fois mon bel appartement, qui par bonheur ne se
10 trouva point occupé. Je me fis faire un habit par un fameux tailleur qui habillait presque tous les petits-maîtres; j'achetai ensuite du linge, dont j'avais grand besoin, des bas de soie et un beau chapeau.

Après cela, ne pouvant bien me passer de laquais, je
15 priai mon hôte de m'en chercher un. Le premier qui se présenta était un garçon d'une mine si douce et si dévote que je n'en voulus point; il ressemblait trop à Ambroise. A peine eus-je éconduit ce valet que j'en vis arriver un autre. Celui-ci paraissait fort éveillé, plus effronté qu'un
20 page de cour et, avec cela, un peu fripon. Il me plut. Je lui fis des questions; il y répondit avec esprit; il me parut même né pour l'intrigue. Je le regardai comme un sujet qui me convenait; je l'engageai. Je n'eus pas lieu de m'en repentir; je m'aperçus bientôt que j'avais fait une
25 admirable acquisition.

Comme le duc m'avait permis de lui parler en faveur des personnes à qui je voudrais rendre service et que je n'avais pas dessein de négliger cette permission, il me fallait un

chien de chasse pour dépister le gibier, c'est-à-dire un
drôle qui eût de l'industrie et qui fût propre à découvrir et
à m'amener des gens qui auraient des grâces à demander
au premier ministre. C'était justement le fort de Scipion:
ainsi se nommait mon laquais.   5

Aussitôt que je lui fis savoir que je pouvais obtenir des
grâces du roi, il se mit en campagne et dès le même jour il
m'amena un jeune gentilhomme grenadin qui venait
d'arriver à Madrid. Il avait eu une affaire d'honneur qui
l'obligeait à rechercher la protection du duc de Lerme. Je 10
parlai au duc en faveur du jeune homme, qui en fut quitte
pour dix jours de prison.

Je ne tirai de ce service rendu que cent pistoles, mais
cette affaire me mit en goût. Dix pistoles que je donnai à
Scipion pour son droit de courtage l'encouragèrent à   15
faire de nouvelles recherches qui amenèrent encore deux
suppliants.

Il me semble que j'entends un lecteur qui me crie en cet
endroit:

— Courage, monsieur de Santillane! mettez du foin 20
dans vos bottes. Vous êtes en beau chemin; poussez
votre fortune.

Oh! je n'y manquerai pas. Je vois, si je ne me trompe,
arriver mon valet avec un nouveau *quidam* qu'il vient
d'accrocher. Justement, c'est Scipion. Écoutons-le.   25

— Seigneur, me dit-il, souffrez que je vous présente ce
fameux charlatan. Il demande un privilège pour débiter
ses drogues pendant l'espace de dix années dans toutes les
villes de la monarchie d'Espagne à l'exclusion de tous
autres, c'est-à-dire qu'il soit défendu aux personnes de sa 30
profession de s'établir dans les lieux où il sera. Par
reconnaissance il comptera deux cents pistoles à celui qui
lui procurera le privilège.

Je dis au charlatan en tranchant du protecteur:

— Allez, mon ami, je ferai votre affaire.

Véritablement, peu de jours après, je le renvoyai avec
des patentes qui lui permettaient de tromper le peuple
5 exclusivement dans tous les royaumes d'Espagne.

J'éprouvai la vérité du proverbe qui dit que l'appétit
vient en mangeant; mais, outre que je me sentais plus
avide à mesure que je devenais plus riche, j'avais obtenu de
Son Excellence si facilement les grâces dont je viens de
10 parler que je ne balançai point à lui en demander une
autre. C'était le gouvernement de la ville de Véra, sur la
côte de Grenade, pour un chevalier de Calatrava, qui
m'en offrait mille pistoles. Le ministre se mit à rire en me
voyant si âpre à la curée.

15 — Vive Dieu! ami Gil Blas, me dit-il, vous aimez
furieusement à obliger votre prochain. Écoutez, lorsqu'il
ne sera question que de bagatelles, je n'y regarderai pas
de si près; mais quand vous voudrez des gouvernements ou
d'autres choses considérables, vous vous contenterez, s'il
20 vous plaît, de la moitié du profit; vous me tiendrez compte
de l'autre. Vous ne sauriez vous imaginer la dépense que
je suis obligé de faire. Réglez-vous sur cela.

Mon maître, par ce discours, m'ôtant la crainte de
l'importuner, ou plutôt m'excitant à revenir souvent à la
25 charge, me rendit encore plus affamé de richesses que je ne
l'étais auparavant. J'aurais alors volontiers fait afficher
que tous ceux qui voulaient obtenir des grâces de la cour
n'avaient qu'à s'adresser à moi. J'allais d'un côté, Scipion
de l'autre. Je ne cherchais qu'à faire plaisir pour de l'ar-
30 gent. Mon chevalier de Calatrava eut le gouvernement de
Véra pour ses mille pistoles, et j'en fis bientôt accorder un
autre pour le même prix à un chevalier de Saint-Jacques.

Je ne me contentai pas de faire des gouverneurs, je donnai
des ordres de chevalerie, je convertis quelques bons rotu-
riers en mauvais gentilshommes par d'excellentes lettres de
noblesse. Je voulus aussi que le clergé se ressentît de mes
bienfaits. Je conférai de petits bénéfices, des canonicats et 5
quelques dignités ecclésiastiques.

Isocrate a raison d'appeler l'intempérance et la folie les
compagnes inséparables des riches. Quand je me vis
maître de trente mille ducats et en état d'en gagner peut-
être dix fois autant, je crus devoir faire une figure digne 10
d'un confident de premier ministre. Je louai un hôtel
entier, que je fis meubler proprement. J'achetai un
carrosse; je pris un cocher, trois laquais, et, comme il est
juste d'avancer ses anciens domestiques, j'élevai Scipion
au triple honneur d'être mon valet de chambre, mon secré- 15
taire et mon intendant. Mais ce qui mit le comble à mon
orgueil c'est que le ministre trouva bon que mes gens
portassent sa livrée. J'en perdis ce qui me restait de
jugement. Peu s'en fallait que je ne me crusse proche
parent du duc de Lerme. Je me mis dans la tête que je 20
passerais peut-être pour tel; ce qui me flattait infiniment.

CHAPITRE XXIX

SCIPION VEUT MARIER GIL BLAS

A l'exemple de Son Excellence, je tenais table ouverte.
Un soir, après avoir renvoyé la compagnie qui était venue
souper chez moi, me voyant seul avec Scipion, je lui
demandai ce qu'il avait fait ce jour-là.   25

— Un coup de maître, me répondit-il. Je veux vous
marier à la fille unique d'un orfèvre de ma connaissance.

— La fille d'un orfèvre ! m'écriai-je d'un air dédaigneux;
as-tu perdu l'esprit ? Peux-tu me proposer une bourgeoise ? Quand on a un certain mérite et qu'on est à la
cour sur un certain pied, il me semble qu'on doit avoir des
5 vues plus élevées.

— Eh ! monsieur, me repartit Scipion, ne le prenez point
sur ce ton-là. Savez-vous bien que l'héritière dont il
s'agit est un parti de cent mille ducats pour le moins ?

Lorsque j'entendis parler d'une grosse somme, je devins
10 plus traitable.

— Je me rends, dis-je à mon secrétaire; la dot me déter-
mine. Quand veux-tu me la faire toucher ?

— Doucement, monsieur, répondit-il, un peu de patience;
il faut auparavant que je communique la chose au père et
15 que je la lui fasse agréer.

Effectivement, deux jours après il me dit:

— J'ai parlé à monsieur Gabriel Salero (ainsi se nommait
mon orfèvre). Je lui ai tant vanté votre crédit et votre
mérite qu'il a prêté l'oreille à la proposition que je lui ai
20 faite de vous accepter pour gendre. Vous aurez sa fille
avec cent mille ducats, pourvu que vous lui fassiez voir
clairement que vous possédez les bonnes grâces du ministre.

— S'il ne tient qu'à cela, dis-je alors à Scipion, je serai
bientôt marié. Mais à propos de la fille, l'as-tu vue ?
25 Est-elle belle ?

— Pas si belle que la dot. Entre nous, cette riche
héritière n'est pas une fort jolie personne; par bonheur
vous ne vous en souciez guère. Ce n'est pas tout, continua
Scipion, Gabriel Salero vous donne à souper ce soir. Il
30 doit inviter plusieurs marchands à ce repas, où vous vous
trouverez comme un simple convive, et demain il viendra
souper chez vous de la même manière. Vous voyez par là

que c'est un homme qui veut vous étudier avant de passer
outre. Il sera bon que vous vous observiez un peu devant
lui.

—Oh ! parbleu, interrompis-je d'un air de confiance, 5
qu'il m'examine tant qu'il lui plaira, je ne puis que gagner
à cet examen.

Cela s'exécuta de point en point. Je me fis conduire chez
l'orfèvre, qui me reçut aussi familièrement que si nous
nous fussions vus déjà plusieurs fois. C'était un bon
bourgeois très poli. Il me présenta à sa femme et à la 10
jeune Gabriela, sa fille. Je leur fis force compliments et
leur dis des riens en fort beaux termes, des phrases de
courtisan.

Gabriela, quoi que m'en eût dit mon secrétaire, ne me
parut pas désagréable, soit qu'elle fût extrêmement parée, 15
soit que je ne la regardasse qu'au travers de la dot. La
bonne maison que celle de Salero ! Il y a, je crois, moins
d'argent dans les mines du Pérou qu'il n'y en avait dans
cette maison-là. Ce métal s'y offrait à la vue de toutes
parts, sous mille formes différentes. Chaque chambre, 20
et particulièrement celle où nous nous étions mis à table,
était un trésor. Quel spectacle pour les yeux d'un
gendre !

Je régalai l'orfèvre à mon tour le lendemain au soir.
Ne pouvant l'éblouir par mon argenterie, j'eus recours à 25
une autre illusion. J'invitai à souper ceux de mes amis qui
faisaient la plus belle figure à la cour et que je connaissais pour des ambitieux qui ne mettaient point de bornes
à leurs désirs. Ces gens-ci ne s'entretinrent que des
grandeurs, que des postes brillants et lucratifs auxquels 30
ils aspiraient, ce qui fit son effet. Le bourgeois Gabriel,
étourdi de leurs grandes idées, ne se sentait, malgré tout

son bien, qu'un petit mortel en comparaison de ces
messieurs.

Pour moi, faisant l'homme modéré, je dis que je me con-
tenterais d'une fortune médiocre, comme de vingt mille
5 ducats de rente; sur quoi ces affamés d'honneurs et de
richesses s'écrièrent que j'aurais tort et qu'étant aimé
autant que je l'étais du premier ministre, je ne devais pas
m'en tenir à si peu de chose. Le beau-père ne perdit pas
une de ces paroles, et je crus remarquer, quand il se
10 retira, qu'il était fort satisfait.

CHAPITRE XXX

GIL BLAS EMPRISONNÉ DE NOUVEAU

Scipion alla voir Salero le lendemain matin pour lui
demander s'il était content de moi.

— J'en suis charmé, lui répondit le bourgeois, ce garçon-
là m'a gagné le cœur. Mais je vous conjure de me parler
15 sincèrement. Nous avons tous notre faible, comme vous
savez. Apprenez-moi celui du seigneur de Santillane.

— Je ne lui trouve d'autre défaut, répliqua Scipion, que
celui de n'en avoir aucun. Il est trop sage pour un jeune
homme.

20 — Tant mieux, reprit l'orfèvre, cela me fait plaisir.
Allez, mon ami, vous pouvez l'assurer qu'il aura ma fille
et que je la lui donnerais quand même il ne serait pas
chéri du ministre.

Aussitôt que mon secrétaire m'eut rapporté cet entre-
25 tien, je courus chez Salero pour le remercier de la disposition favorable où il était pour moi. Il avait déjà déclaré ses

volontés à sa femme et à sa fille, qui me firent voir, par la
manière dont elles me reçurent, qu'elles y étaient soumises
sans répugnance.

Je menai le beau-père chez le duc de Lerme, que j'avais
prévenu la veille, et je le lui présentai. Son Excellence lui 5
fit un accueil des plus gracieux et dit tant de bien de moi
que le bon Gabriel crut avoir rencontré dans ma seigneurie
le meilleur parti d'Espagne pour sa fille. Il en était si aise
qu'il en avait la larme à l'oeil. Il me serra fortement entre
ses bras lorsque nous nous séparâmes, en me disant: 10

— Mon fils, j'ai tant d'impatience de vous voir l'époux
de Gabriela que vous le serez dans huit jours tout au plus
tard.

Nous nous préparâmes de part et d'autre à cette cérémonie. Salero fit faire de riches habits pour la mariée, et 15
j'engageai pour elle une femme de chambre, un laquais et
un vieil écuyer; tout cela choisi par Scipion, qui attendait
avec encore plus d'impatience que moi le jour qu'on devait
me compter la dot.

La veille de ce jour désiré, je soupai chez le beau-père 20
avec des oncles et des tantes, des cousins et des cousines.
Je jouai parfaitement bien le personnage d'un gendre
hypocrite. J'eus mille complaisances pour l'orfèvre et pour
sa femme; je contrefis le passionné auprès de Gabriela,
je traitai gracieusement toute la famille, dont j'écoutai 25
sans m'impatienter les plats discours et les raisonnements bourgeois. Aussi, pour prix de ma patience, j'eus
le bonheur de plaire à tous les parents. Il n'y en eut pas
un qui ne parût s'applaudir de mon alliance.

Le repas fini, la compagnie passa dans une grande salle, 30
où on la régala d'un concert de voix et d'instruments.
Plusieurs airs gais dont nos oreilles furent agréablement

DE PAR LE ROI !

frappées nous mirent de si belle humeur que nous commençâmes à former des danses. Après nous être bien
divertis, il nous fallut songer à nous retirer. Je prodiguai
les révérences et les accolades.

— Adieu, mon gendre, me dit Salero en m'embrassant, 5
j'irai chez vous demain matin apporter la dot en belles
pièces d'or.

— Vous y serez le bienvenu, mon cher beau-père, lui
répondis-je.

Ensuite, donnant le bonsoir à la famille, je gagnai mon 10
équipage, qui m'attendait à la porte, et je pris le chemin de
mon hôtel.

J'étais à peine à deux cents pas de la maison de Salero
que quinze ou vingt hommes, les uns à pied, les autres à
cheval, tous armés d'épées et de carabines, entourèrent 15
mon carrosse et l'arrêtèrent en criant: *De par le roi!* Ils
m'en firent descendre brusquement pour me jeter dans
une chaise de poste, et le chef de la troupe, étant monté
avec moi, dit au cocher de se diriger vers Ségovie.

Je jugeai bien que c'était un honnête exempt que j'avais 20
à côté de moi. Je voulus le questionner pour savoir le
sujet de mon emprisonnement, mais il me répondit brutalement qu'il n'avait point de compte à me rendre. Je lui
dis que peut-être il se méprenait.

— Non, non, repartit-il, je suis sûr de mon fait. Vous 25
êtes le seigneur de Santillane; c'est vous que j'ai ordre de
conduire où je vous mène.

N'ayant rien à répliquer à ces paroles, je pris le parti de
me taire. Nous roulâmes le reste de la nuit le long du
Manzanarès dans un profond silence. Nous changeâmes 30
de chevaux à Colmenar et nous arrivâmes sur le soir à
Ségovie, où l'on m'enferma dans la tour.

CHAPITRE XXXI

COMMENT GIL BLAS EST TRAITÉ DANS LA TOUR DE
SÉGOVIE

On commença par me mettre dans un cachot, où l'on
me laissa sur la paille, comme un criminel digne du dernier
supplice. Je passai la nuit, non pas à me désoler, car je ne
sentais pas encore tout mon mal, mais à chercher dans mon
5 esprit ce qui pouvait avoir causé mon malheur. Tantôt je
m'imaginais que c'était à l'insu de Son Excellence que
j'avais été arrêté, tantôt je pensais que c'était elle-même
qui, pour quelque raison politique, m'avait fait emprisonner, ainsi que les ministres en usent quelquefois avec
10 leurs favoris.

Le lendemain matin, pendant que je m'abandonnais à
mes douloureuses conjectures, il vint dans mon cachot un
guichetier qui m'apportait un pain et une cruche d'eau.
Je passai toute la journée à maudire mon étoile, sans songer
15 à faire honneur à mes provisions. La nuit vint et bientôt
un grand bruit de clefs attira mon attention. La porte de
mon cachot s'ouvrit, et un moment après il entra un homme
qui portait une bougie. Il s'approcha de moi et me
dit :

20   — Monsieur Gil Blas, vous voyez un de vos anciens amis.
Je suis ce don André de Tordesillas qui demeurait avec
vous à Grenade et qui était gentilhomme de l'archevêque
lorsque vous étiez dans les bonnes grâces de ce prélat.
Vous le priâtes, s'il vous en souvient, d'employer son cré-
25 dit pour moi, et il me fit nommer pour aller remplir un
emploi au Mexique ; mais, au lieu de m'embarquer pour
les Indes, je m'arrêtai dans la ville d'Alicante. J'y épousai

la fille du gouverneur du château et je suis devenu le
châtelain de la tour de Ségovie. C'est un bonheur pour
vous, continua-t-il, de rencontrer, dans un homme chargé
de vous maltraiter, un ami qui n'épargnera rien pour
adoucir la rigueur de votre prison. Il m'est expressément 5
ordonné de ne vous laisser parler à personne, de vous faire
coucher sur la paille et de ne vous donner pour toute
nourriture que du pain et de l'eau. Mais vous m'avez
rendu service, et ma reconnaissance l'emporte sur les ordres
que j'ai reçus. Je prétends vous traiter le mieux qu'il 10
me sera possible. Levez-vous et venez avec moi.

Quoique le châtelain méritât bien quelques remercie-
ments, mes esprits étaient si troublés que je ne pus lui
répondre un seul mot. Il me fit traverser une cour et
monter par un escalier fort étroit à une petite chambre qui 15
était tout au haut de la tour. Je ne fus pas peu surpris, en
entrant dans cette chambre, de voir sur une table deux
chandelles qui brûlaient dans des flambeaux de cuivre et
deux couverts assez propres.

— Dans un moment, me dit Tordesillas, on va vous 20
apporter à manger. Nous allons souper ici tous deux.
C'est ce réduit que je vous ai destiné pour logement;
vous y serez mieux que dans votre cachot. Vous serez
bien couché, bien nourri, et je vous fournirai des livres tant
que vous en voudrez; en un mot, vous aurez tous les 25
agréments que peut avoir un prisonnier.

A des offres si obligeantes, je me sentis un peu soulagé.
Je pris courage et rendis mille grâces à mon geôlier. Ensuite je lui demandai s'il savait le sujet de mon infortune.

— Je vous avouerai, me répondit-il, que je ne l'ignore 30
pas. Le roi, qui est très sévère pour le prince d'Espagne,
informé que vous l'avez aidé, le comte de Lemos et vous, à

faire une escapade, vient, pour vous en punir, d'exiler le comte et vous a envoyé, vous, ici à la tour.

Dans cet endroit de notre conversation, plusieurs valets qui apportaient le souper entrèrent. Lorsque Tordesillas vit que nous avions tout ce qu'il nous fallait, il renvoya les domestiques, ne voulant pas qu'ils entendissent notre entretien, et se mit à servir lui-même. Quelque besoin que j'eusse de manger, les morceaux me restaient dans la bouche, tant j'avais le cœur serré de ma condition.

Le châtelain, jugeant bien qu'il entreprenait trop de vouloir ce soir-là faire quelque diversion à mes chagrins, se leva de table après avoir achevé de souper, et me dit:

— Maintenant je vais vous laisser reposer, ou plutôt rêver en liberté à votre malheur. Mais il ne sera pas de longue durée. Le roi est bon naturellement. Quand sa colère sera passée et qu'il se représentera la situation déplorable où il croit que vous êtes, vous lui paraîtrez assez puni.

Je passai deux heures pour le moins à réfléchir sur ce que Tordesillas m'avait appris. Je suis donc ici, me disais-je, pour avoir contribué aux plaisirs de l'héritier de la couronne ! L'idée la plus affligeante pour moi pourtant, celle qui me désespérait, c'était le pillage auquel je m'imaginais bien que tous mes effets avaient été abandonnés. Je me peignais le désordre qui devait régner dans ma maison. La confusion de tant de pensées différentes me jeta dans un accablement qui me devint favorable, et je m'endormis profondément.

Mon sommeil fut interrompu par Tordesillas, qui entra dans ma chambre et me dit:

— Monsieur Gil Blas, je viens de parler à un jeune homme qui s'est présenté à la porte de cette prison. Il m'a demandé si vous n'étiez pas prisonnier, et, sur le refus que j'ai fait de contenter sa curiosité, il m'a dit les larmes aux yeux:

« Noble châtelain, ne rejetez pas la très humble prière que je vous fais de m'apprendre si monsieur de Santillane est 5 ici. Je suis son premier domestique, et vous ferez une action charitable si vous me permettez de le voir. » Enfin, continua don André, ce garçon m'a témoigné tant d'envie de vous parler que j'ai promis de lui donner ce soir cette satisfaction. 10

J'assurai Tordesillas qu'il ne pouvait me faire un plus grand plaisir que de m'amener ce jeune homme, qui probablement avait à me dire des choses qu'il m'importait fort de savoir. J'attendis avec impatience le moment qui devait offrir à mes yeux mon fidèle Scipion, car je ne 15 doutais pas que ce ne fût lui et je ne me trompais point. On le fit entrer sur le soir dans la tour. Je lui tendis les bras et il me serra entre les siens.

Quand nous nous fûmes dégagés de cette embrassade, j'interrogeai Scipion sur l'état où il avait laissé mon hôtel. 20

— Vous n'avez plus d'hôtel, me répondit-il, et, pour vous épargner la peine de me faire question sur question, je vais vous dire en deux mots ce qui s'est passé chez vous. Vos effets ont été pillés tant par des archers que par vos propres domestiques. Par bonheur pour vous, j'ai eu 25 l'adresse de sauver de leurs griffes deux grands sacs de doubles pistoles que j'ai tirés de votre coffre-fort, et qui sont en sûreté. Salero, que j'en ai fait le dépositaire, vous les remettra quand vous serez sorti de cette tour, où je ne vous crois pas pour longtemps pensionnaire de Sa Majesté, 30 puisque vous avez été arrêté sans la participation du duc de Lerme.

Je jugeai par ce discours que mes affaires pourraient se rétablir avec le temps, que le duc de Lerme ferait tout son possible pour faire revenir son neveu, le comte de Lemos, à la cour, et je me flattai que Son Excellence ne m'oublierait 5 point.

— Mon ami, dis-je à Scipion, il me semble que je ne ferais pas mal d'écrire au ministre; cela ne saurait produire un mauvais effet. Quelle est là-dessus ta pensée?

— Je suis d'avis, me répondit-il, que vous lui écriviez. 10 Implorez son secours par une lettre fort touchante; je la lui porterai et je vous promets de la lui remettre en main propre.

CHAPITRE XXXII

GIL BLAS REMIS EN LIBERTÉ

Je me flattais que le duc de Lerme serait ému de compassion en lisant le triste récit que je lui faisais d'un état 15 misérable où je n'étais point, et, dans cette confiance, je fis partir mon courrier, qui ne fut pas sitôt à Madrid qu'il alla chez ce ministre. Celui-ci ouvrit ma lettre et la parcourut des yeux. Mais, bien loin d'en paraître touché, il éleva la voix et dit d'un air furieux au courrier devant 20 quelques personnes qui pouvaient l'entendre:

— Ami, dites à Santillane que je le trouve bien hardi de s'adresser à moi. C'est un malheureux qui ne doit plus compter sur mon appui et que j'abandonne au ressentiment du roi.

25 — Monseigneur, répliqua Scipion, ce pauvre prisonnier mourra de douleur quand il apprendra la réponse de Votre Excellence.

Le duc ne lui repartit qu'en le regardant de travers et lui tournant le dos.

Lorsque mon secrétaire fut de retour à Ségovie et qu'il m'eut appris le succès de sa commission, me voilà replongé dans l'abîme affreux où je m'étais trouvé le premier jour de ma prison. Je me crus même plus malheureux, puisque je n'avais plus la protection du duc de Lerme. Mon courage s'abattit et je redevins la proie des plus vifs chagrins, qui me causèrent insensiblement une maladie aiguë.

Le châtelain, qui s'intéressait à ma conservation, s'imaginant ne pouvoir mieux faire que d'appeler des médecins à mon secours, m'en amena deux.

— Monsieur Gil Blas, dit-il en me les présentant, voici deux Hippocrates qui viennent vous voir et qui vous remettront sur pied en peu de temps.

J'étais si prévenu contre tous les docteurs en médecine que j'aurais certainement fort mal reçu ceux-là, pour peu que j'eusse été attaché à la vie; mais je me sentais alors si las de vivre que je sus bon gré à Tordesillas de vouloir me mettre entre leurs mains.

Ces messieurs me menèrent si bon train que je m'en allais dans l'autre monde à vue d'œil. Je m'attendais à passer le pas; néanmoins mon attente fut trompée. Mes docteurs, m'ayant abandonné et laissé le champ libre à la nature, me sauvèrent par ce moyen. La fièvre me quitta et je me rétablis peu à peu, par le plus grand bonheur du monde; une parfaite tranquillité d'esprit devint le fruit de ma maladie. Je n'eus point alors besoin d'être consolé.

Je gardai pour les richesses et pour les honneurs tout le mépris que le sentiment d'une mort prochaine m'en avait fait concevoir, et, rendu à moi-même, je bénis mon malheur. J'en remerciai le ciel comme d'une grâce particulière

qu'il m'avait faite et je pris une ferme résolution de ne plus retourner à la cour, quand même le duc de Lerme voudrait m'y rappeler. Je me proposai plutôt, si jamais je sortais de prison, d'acheter une chaumière et d'y aller
5 vivre en philosophe.

Mon confident applaudit à mon dessein et me dit que, pour en hâter l'exécution, il voulait retourner à Madrid pour y solliciter mon élargissement.

— Va, mon ami, sans perdre de temps, lui dis-je. Plût
10 au ciel que nous fussions déjà dans notre retraite !

Au bout d'un mois Scipion revint m'annoncer que le prince avait, non sans peine, obtenu du roi ma liberté, ce qui me fut confirmé le même jour par le châtelain, qui vint me dire en m'embrassant:

15   — Mon cher Gil Blas, grâce au ciel, vous êtes libre. Les portes de cette prison vous sont ouvertes, mais c'est à deux conditions qui vous feront peut-être beaucoup de peine. Sa Majesté vous défend de vous montrer à la cour et vous ordonne de sortir des deux Castilles en un mois. Je suis
20 très mortifié qu'on vous interdise la cour.

— Et moi, j'en suis ravi, lui répondis-je; Dieu sait ce que j'en pense. Je n'attendais du roi qu'une grâce, il m'en fait deux.

Étant donc assuré que je n'étais plus prisonnier, je fis
25 louer deux mules, sur lesquelles nous montâmes le lende-main, mon confident et moi, après que j'eus remercié mille fois Tordesillas de tous les témoignages d'amitié que j'avais reçus de lui. Nous prîmes gaiement la route de Madrid pour aller retirer des mains de Salero nos deux sacs, qui
30 contenaient chacun cinq cents doublons. Chemin faisant, mon associé me dit:

— Si nous ne sommes pas assez riches pour acheter une

NOUS PRÎMES GAIEMENT LA ROUTE DE MADRID

terre magnifique, nous pourrons en avoir du moins une raisonnable.

— Quand nous n'aurions qu'une cabane, lui répondis-je, j'y serais satisfait de mon sort. Imagine-toi, mon ami, tous
5 les différents plaisirs qui nous attendent dans la solitude et tu en seras charmé comme moi. A l'égard de notre nourriture, la plus simple sera la meilleure. Un morceau de pain pourra nous contenter; quand nous serons pressés de la faim, nous le mangerons avec un appétit qui nous le
10 fera trouver excellent. La frugalité est une source de délices merveilleuse pour la santé.

CHAPITRE XXXIII

GIL BLAS DIT ADIEU À L'ESPÉRANCE ET À LA FORTUNE

Lorsque nous fûmes arrivés à Madrid, nous allâmes descendre à un petit hôtel garni. La première chose que nous fîmes fut de nous rendre chez Salero pour retirer
15 de ses mains nos doublons. Il nous reçut parfaitement bien et me témoigna beaucoup de joie de me voir en liberté.

— J'ai été si sensible à votre disgrâce, ajouta-t-il, qu'elle m'a dégoûté de l'alliance des gens de cour. Leurs fortunes
20 sont trop en l'air. J'ai marié ma fille Gabriela à un riche négociant.

— Vous avez fort bien fait, lui répondis-je. Outre que cela est plus solide, c'est qu'un bourgeois qui devient beau-père d'un homme de qualité n'est pas toujours content de
25 son gendre.

Puis, changeant de discours et venant au fait:

— Monsieur Gabriel, poursuivis-je, ayez, s'il vous plaît, la bonté de nous remettre les deux mille pistoles que...

— Votre argent est tout prêt, interrompit l'orfèvre, qui, nous ayant fait passer dans son cabinet, nous montra deux sacs avec ces mots écrits sur des étiquettes: « *Ces sacs de doublons appartiennent au seigneur Gil Blas de Santillane.* » Voilà, me dit-il, le dépôt tel qu'il m'a été confié.

Je remerciai Salero du service qu'il m'avait rendu, et, fort consolé d'avoir perdu sa fille, j'aidai Scipion à emporter les sacs à notre hôtel, où nous nous mîmes à compter nos doubles pistoles. Le compte s'y trouva, à cinquante près, qui avaient été employées aux frais de mon élargissement.

Nous ne songeâmes plus qu'à nous mettre en état de partir pour l'Aragon. Comme j'allais et venais dans les rues en faisant des emplettes, je rencontrai mon ancien maître, don Alphonse de Leyva, à qui j'avais fait accorder le gouvernement de Valence au temps de ma faveur.

Il s'avança vers moi avec transport et me dit d'un air qui marquait une véritable joie:

— Santillane, je vous retrouve enfin ! J'en suis charmé. Que faites-vous à Madrid, car je vous croyais à Grenade ?

— Monsieur, lui répondis-je, il n'y a pas deux mois que j'occupais à la cour un poste assez considérable. J'avais l'honneur d'être secrétaire et confident du duc de Lerme. J'ai gagné sa faveur et je l'ai perdue de la manière que je vais vous dire.

Alors je lui racontai toute cette histoire, et je finis mon récit par la résolution que j'avais prise d'acheter, du peu de bien qui me restait de ma prospérité passée, une propriété pour y aller mener une vie retirée.

Don Alphonse, après m'avoir écouté avec beaucoup
d'attention, me répliqua:

— Mon cher Gil Blas, vous savez que je vous ai toujours
aimé. Vous m'êtes encore plus cher que jamais, et il faut
5 que je vous en donne des marques, puisque le ciel m'a mis
en état d'augmenter vos biens. Vous ne serez plus le jouet
de la fortune. Je veux vous affranchir de son pouvoir en
vous rendant maître d'un bien qu'elle ne pourra vous ôter.
Puisque vous avez l'intention de vivre à la campagne,
10 je vous donne une petite terre que nous avons auprès de
Lirias, à quatre lieues de Valence. Vous la connaissez.
C'est un présent que nous pouvons vous faire, mon père et
moi, sans nous incommoder.

Je me jetai à ses genoux, mais il me releva dans le
15 moment. Plus charmé de son bon cœur que de son bienfait, je lui baisai la main.

— Seigneur, lui dis-je, le don que vous me faites m'est
d'autant plus agréable qu'il précède la connaissance d'un
service que je vous ai rendu, et j'aime mieux le devoir à
20 votre générosité qu'à votre reconnaissance.

Don Alphonse, un peu surpris de ce discours, me demanda quel était ce service. Je lui appris que le gouvernement de la ville de Valence lui avait été donné par mon
crédit, ce qui redoubla son étonnement.

25 — Gil Blas, s'écria-t-il, puisque c'est à vous que je dois
mon poste, je ne prétends pas m'en tenir à la petite terre de
Lirias. Je vous offre avec cela deux mille ducats de pension.

— Halte-là! interrompis-je en cet endroit. Ne réveillez
pas mon avarice. J'accepte volontiers votre terre de Lirias;
30 j'y vivrai commodément avec le bien que j'ai d'ailleurs.
Mais cela me suffit. Les richesses sont un fardeau dans une
retraite où l'on ne cherche que de la tranquillité.

Pendant que nous nous entretenions de cette sorte, le père de don Alphonse arriva. Lorsqu'il fut informé de l'obligation que sa famille m'avait, il me pressa d'accepter la pension, ce que je refusai de nouveau. Enfin le père et le fils me menèrent chez un notaire, où ils firent dresser la donation, qu'ils signèrent tous deux. Quand le contrat fut expédié, ils me le remirent entre les mains, en me disant que la terre de Lirias n'était plus à eux et que je pourrais aller en prendre possession quand il me plairait.

Ils s'en retournèrent chez eux et moi, je volai vers notre hôtel, où je ravis d'admiration mon secrétaire, lorsque je lui annonçai que nous avions une terre dans le royaume de Valence et que je lui contai de quelle manière je venais de faire cette acquisition.

— Ce qui me plaît le plus, s'écria Scipion, c'est que nous aurons là de bon gibier et d'excellents vins. Allons, mon patron, hâtons-nous de quitter le monde et de gagner notre ermitage.

— Je n'ai pas moins d'envie d'y être que toi, lui repartis-je, mais il faut auparavant que je fasse un tour aux Asturies. Mon père et ma mère n'y sont pas dans une heureuse situation. Je veux aller les chercher pour les conduire à Lirias, où ils passeront en repos leurs derniers jours. Le ciel ne m'a peut-être fait trouver cet asile que pour les y recevoir, et il me punirait si j'y manquais.

Scipion loua fort mon dessein; il m'excita même à l'exécuter.

— Ne perdons point de temps, me dit-il; je me suis déjà assuré d'une voiture; achetons vite des mules et prenons le chemin d'Oviédo.

—Oui, mon ami, lui répondis-je, partons le plus tôt possible. Je me fais un devoir indispensable de partager

les douceurs de ma retraite avec les auteurs de ma naissance.   Nous nous verrons bientôt dans notre hameau et
je veux, en y arrivant, écrire sur la porte de ma maison ces
deux vers latins en lettres d'or:

INVENI PORTUM.   SPES ET FORTUNA, VALETE !
SAT ME LUSISTIS: LUDITE NUNC ALIOS ! *

5

* Je suis arrivé au port.   Espérance et Fortune, adieu!
  Vous m'avez assez joué: jouez-en d'autres maintenant.

QUESTIONNAIRE

GIL BLAS AU LECTEUR

1. Où les deux étudiants se sont-ils arrêtés ? Pourquoi ?
2. Qu'ont-ils aperçu ? 3. Qu'est-ce que le plus jeune des étudiants a dit ? 4. Pourquoi son compagnon est-il resté là ?
5. Qu'a-t-il fait ? 6. Quelles paroles étaient écrites sur la carte ? 7. Comment faut-il lire les aventures de Gil Blas ?
Pourquoi ?

I

1. Qu'est-ce que le père de Gil avait fait avant de se retirer dans la ville où il était né ? 2. Qui a-t-il épousé ? 3. Que sont devenus le père et la mère de Gil ? 4. Quel risque Gil aurait-il couru s'il n'avait pas eu un oncle chanoine ? Pourquoi ?
5. L'oncle de Gil était-il grand et maigre ? Décrivez-le.
6. De quoi s'est-il chargé ? 7. Qu'est-ce qu'il a entrepris de faire ? 8. Pourquoi cela a-t-il été utile au chanoine ? 9. A-t-il aussi enseigné le latin à Gil ? 10. Chez qui Gil a-t-il été envoyé ? 11. Gil a-t-il profité des leçons qu'on lui a données ?
12. Pourquoi arrêtait-il les passants ? 13. De quoi l'oncle de Gil a-t-il été ravi ? Pourquoi ? 14. Qu'a-t-il dit un jour à Gil ? 15. Gil a-t-il montré sa joie ? 16. Qu'est-ce que ses parents l'ont exhorté à faire ? 17. De quoi lui ont-ils fait présent ?

II

1. De quoi Gil était-il maître ? 2. Pourquoi ne pouvait-il se lasser de regarder et de manier ses ducats ? 3. Qu'est-ce que la mule a fait tout à coup ? 4. Qu'est-ce que Gil a aperçu ?

5. Qu'a-t-il entendu ? 6. Décrivez ce qu'il a vu au pied du buisson. 7. Gil a-t-il jeté ses ducats dans le chapeau ? 8. Que lui a donné le soldat ? 9. La mule a-t-elle galopé ? 10. Pourquoi l'oncle de Gil ne l'avait-il pas mis entre les mains d'un muletier ? 11. Qu'est-ce que Gil a résolu de faire ?

III

1. Comment l'hôte s'est-il montré poli ? 2. Cet hôte était-il silencieux ? 3. Qu'a-t-il appris à Gil ? 4. Pourquoi a-t-il fallu que Gil répondît article par article à ses questions ? 5. Comment l'hôte a-t-il aidé Gil à se défaire de sa mule ? 6. Comment le maquignon a-t-il examiné la mule ? 7. Qu'est-ce qu'il en a dit ? 8. Pourquoi Gil était-il persuadé que sa mule ne valait rien ? 9. Qu'a-t-il dit au marchand ? 10. Qu'est-ce que celui-ci lui a répondu ? 11. Combien a-t-il prisé la mule ? 12. Comment Gil a-t-il reçu ses trois ducats ? 13. Chez qui l'hôte a-t-il mené Gil ? 14. Qu'est-ce que le muletier a dit ? 15. De quoi Gil et lui sont-ils convenus ? 16. Quelle sorte d'homme a interrompu l'hôte ? 19. Gil a-t-il écouté l'entretien de l'hôte et du nouveau venu ?

IV

1. Pourquoi Gil a-t-il commandé des œufs ? 2. Qu'est-ce qu'un jour maigre ? 3. Qui est entré dans l'hôtellerie ? 4. Décrivez le nouveau venu. 5. Comment a-t-il salué Gil ? 6. Qu'a-t-il dit à l'hôte et à l'hôtesse ? 7. Pourquoi Gil n'a-t-il pas répondu sur-le-champ à ses compliments ? 8. Quand a-t-il pu parler ? 9. Pourquoi, selon l'homme, le nom de Gil était-il connu à Peñaflor ? 10. De quoi ses paroles ont-elles été suivies ? 11. Qu'est-ce que Gil aurait su, s'il avait eu la moindre expérience ? 12. Qu'est-ce qui l'en a fait juger tout autrement ? 13. A-t-il invité son admirateur à souper ? 14. Celui-ci avait-il faim ? 15. Pourquoi s'est-il mis à table ? 16. Où s'est-il assis ? 17. Comment a-t-il mangé ? 18. Pour-

quoi Gil a-t-il commandé une seconde omelette ? 19. Qu'est-ce qui le rendait fort content de sa petite personne ? 20. A la santé de qui le parasite buvait-il ? 21. Qu'est-ce qui a mis Gil de belle humeur ? 22. Qu'a-t-il demandé à l'hôte ? 23. Qu'est-ce que celui-ci a répondu ? 24. Et le flatteur, qu'a-t-il dit ? 25. De quoi Gil a-t-il été bien aise ? 26. Qu'a-t-il dit à l'hôte ? 27. Qu'a-t-il vu dans les yeux du parasite ? 28. Qu'est-ce que celui-ci a voulu faire, après avoir mangé ? 29. Quel avis a-t-il donné à Gil ? 30. Qu'a-t-il fait à la fin ? 31. De quoi Gil ne pouvait-il se consoler ? 32. Comment a-t-il expliqué ce tour ? 33. Pourquoi mourait-il de honte ? 34. Qu'est-ce que les deux fripons allaient composer ? 35. Qu'est-ce que les parents de Gil auraient dû lui recommander ? 36. Pourquoi n'a-t-il pu dormir ? 37. Qu'est-ce que le muletier est venu lui dire ? 38. Qui est arrivé pendant que Gil s'habillait ? 39. Quel chagrin Gil a-t-il eu ?

V

1. Est-ce que Gil s'est trouvé seul avec le muletier ? 2. Où est-on descendu ? 3. Qu'est-ce qui est arrivé sur la fin du repas ? 4. Pourquoi ne savait-on pas que c'était une feinte ? 5. Qu'est-ce qu'on a cru ? 6. Qu'a-t-on fait ? 7. Où Gil est-il allé ? 8. Qui a-t-il rencontré ? 9. De quelle façon les deux hommes se sont-ils approchés de lui ? 10. Qu'est-ce que Gil leur a conté ? 11. Pourquoi ont-ils ri à ce discours ? 12. Qu'ont-ils dit à Gil ? 13. Où se sont-ils arrêtés ? 14. Qu'ont fait les deux hommes ? 15. Les chevaux ont-ils hésité à entrer dans le souterrain ? 16. Avec quoi les cavaliers ont-ils baissé la trappe ? 17. A quoi Gil ressemblait-il ?

VI

1. Qu'est-ce qu'il a compris ? 2. S'est-il senti plein de courage ? 3. Pourquoi ses conducteurs l'exhortaient-ils à ne rien craindre ? 4. Comment sont-ils parvenus à l'écurie ?

5. Décrivez-la. 6. Qu'a fait le vieux nègre ? 7. En sortant de l'écurie où Gil et les voleurs sont-ils allés ? 8. Qui était dans la cuisine et que faisait-elle ? 9. Décrivez la cuisine. 10. Pourquoi avait-on besoin d'un valet ? 11. Quelle sorte de vie Gil mènerait-il ? 12. Où l'a-t-on conduit ? 13. Qu'y avait-il dans les chambres qu'il a visitées ? 14. Où est-il allé ensuite ? 15. Pourquoi Gil avait-il quitté sa patrie ? 16. Pourquoi serait-il en sûreté ? 17. Quel était l'homme avec qui il parlait ? 18. Quels nouveaux visages ont paru ? 19. Qu'est-ce que les hommes apportaient ? 20. A qui avaient-ils enlevé les mannequins ? 21. De quoi a-t-il été question ? 22. Qu'est-ce qu'on a fait dans le salon ? 23. A quoi Gil s'est-il préparé ? 24. De quoi a-t-il paré le buffet ? 25. Décrivez le repas. 26. Comment Gil s'est-il acquitté de ses nouvelles fonctions ? 27. Qu'est-ce qui a diverti les voleurs ? 28. Croyaient-ils que Gil valait son prédécesseur ? 29. Qu'est-ce qui les a mis de belle humeur ? 30. Comment a-t-on passé une bonne partie de la nuit ? 31. Les voleurs se sont-ils couchés sous la table ? 32. Où Gil est-il allé ? Pourquoi ? 33. Qu'est-ce que le capitaine Rolando lui a dit de la vie qu'ils menaient ?

VII

1. Gil s'est-il mis au lit tout de suite ? 2. Comment Léonarde et Domingo l'ont-ils consolé ? 3. Pourquoi, selon la vieille, Gil devait-il se réjouir ? 4. Quelle était la philosophie de Domingo ? 5. Pourquoi Gil a-t-il essuyé tranquillement ce discours ? 6. Quand Domingo s'est-il retiré ? 7. Décrivez la chambre de Gil. 8. Qui l'avait occupée avant lui ? 9. Pourquoi Gil s'est-il jeté sur le grabat ? 10. A quoi se trouve-t-il maintenant réduit ? 11. Qu'a-t-il regretté ? 12. A quoi s'est-il mis à penser ? 13. Qu'est-ce qu'il s'est dit ? 14. Comment s'y est-il pris pour se sauver ? 15. Qu'a-t-il rencontré au milieu de l'allée ? 16. Pourquoi ne s'était-il pas aperçu de cet obstacle

en entrant ? 17. Qu'est-ce qu'il a senti tout à coup ? 18. Qui
a-t-il vu ? 19. Qu'est-ce que le nègre lui a dit ? 20. Quel a été
l'effet du cri poussé par Gil ? 21. Les voleurs ont-ils été fâchés
quand ils ont su la cause du bruit ? 22. Qu'est-ce qu'ils ont
promis de faire si Gil essayait encore de s'échapper ? 23. Gil
a-t-il passé le reste de la nuit à rire et à chanter ?

VIII

1. Gil menait-il une vie gaie ? 2. Qu'est-ce qu'il a enfin
commencé à faire ? 3. Qu'a-t-on cru ? 4. Quand Gil se
mêlait-il à l'entretien des voleurs ? 5. Qu'est-ce que le capitaine lui a dit un soir ? 6. Les autres étaient-ils contents de
lui ? 7. Comment Gil a-t-il profité de leur bonne disposition ?
8. Qu'a-t-on résolu de faire ? 9. Gil aspirait-il vraiment à
devenir voleur ? 10. Qu'est-ce qu'il a essayé de faire ?
11. Qu'attendait-il avec impatience ? 12. Qu'est-ce que
Rolando a dit un soir aux voleurs ? 13. Quel changement
cela a-t-il amené ? 14. De quoi les voleurs ont-ils paré Gil ?
15. Décrivez son apparence à sa première sortie.

IX

1. Pourquoi Gil a-t-il été ébloui par le jour naissant ? 2. Où
s'est-on mis en embuscade ? 3. Qui a-t-on aperçu ? 4. Qu'a dit
le capitaine ? 5. Quelle promesse Gil a-t-il faite à ses compagnons ? 6. Qu'est-ce que les voleurs ont exigé de Gil ?
7. Pourquoi a-t-il prié le ciel de lui pardonner l'action qu'il
allait faire ? 8. Pourquoi n'a-t-il pas essayé de s'échapper ?
9. Comment a-t-il abordé le religieux ? 10. Pourquoi celui-ci
s'est-il étonné que Gil lui demandât de l'argent ? 11. Comment
reçoit-on les religieux en Espagne ? 12. Quel ordre Gil a-t-il
donné au père pour en finir ? 13. Le moine a-t-il semblé
effrayé ? 14. Qu'a-t-il dit ? 15. Qu'est-ce qu'il a fait en
parlant ? 16. Sa mule s'est-elle éloignée à petits pas ?

17. Pourquoi les voleurs attendaient-ils Gil avec impatience ?
18. Que lui a prédit le capitaine ? 19. Qu'a-t-il tiré de la
bourse ? 20. Pourquoi les voleurs avaient-ils de l'obligation à
Gil ? 21. Quel conseil Rolando lui a-t-il donné ?

X

1. Est-ce que les voleurs ont rencontré beaucoup de
voyageurs pendant la journée ? 2. Qu'est-ce qu'ils ont dé-
couvert de loin ? 3. Pourquoi Rolando a-t-il fait faire halte à
la troupe ? 4. Quelles marques de courage Gil a-t-il données en
marchant en bataille ? 5. Quel excellent poste avait-il ? Pourquoi ? 6. Comment Rolando l'a-t-il regardé ? 7. Quelles
paroles encourageantes lui a-t-il adressées ? 8. Gil a-t-il
négligé l'avertissement ? 9. Où le carrosse s'est-il arrêté ?
10. Qu'est-ce que les cavaliers se préparaient à faire ? 11. Décrivez l'homme qui est sorti du carrosse. 12. Combien de
combattants y avait-il de chaque côté ? 13. Qu'est-ce qui a
redoublé l'effroi de Gil Blas ? 14. De quelle manière a-t-il
déchargé sa carabine ? 15. Comment le combat s'est-il
terminé ? 16. Combien y avait-il de tués ? 17. Qu'est-ce
qu'on a trouvé dans le carrosse ? 18. Dans quel état la dame
était-elle ? 19. Les voleurs ont-ils trouvé beaucoup de butin ?
20. Qu'est-ce que le cocher avait fait pendant l'action ? 21. De
quoi a-t-on chargé les mules ? 22. Comment est-on parti ?

XI

1. Où était le vieux nègre ? Qu'avait-il ? 2. Où est-ce que
les voleurs sont allés ? Pourquoi? 3. Pourquoi la dame a-t-elle
levé les yeux au ciel ? 4. Qu'a-t-elle fait ensuite ? 5. Où l'a-t-on
portée ? 6. Qu'est-ce qu'il y avait dans les malles ? 7. Qu'a-
t-on fait après avoir examiné les malles ? 8. De quoi les voleurs
se sont-ils entretenus ? 9. De quoi le capitaine a-t-il accusé

Gil ?   10. La compagnie a-t-elle blâmé Gil ?   11. Qu'a-t-on décidé de faire des mules et des chevaux ?   12. Pourquoi Gil Blas ne s'est-il pas livré au sommeil ?   13. A quoi a-t-il rêvé ?   14. Qui avait la clef de la grille ?   Pourquoi ?   15. Comment Gil a-t-il commencé d'exécuter son projet ?   16. Qu'est-ce que les voleurs lui ont demandé ?   17. Qu'est-ce que Gil a fait pour mieux leur persuader qu'il avait une colique horrible ? 18. Comment savez-vous que Gil a bien joué son rôle ? 19. Quels étaient les maux véritables qu'il souffrait ?   20. Qu'a-t-il enfin été obligé de dire à ses charitables confrères ? 21. Combien de temps cette scène a-t-elle duré ?   22. Qu'a-t-on fait après ?   23. Qu'est-ce que Gil Blas a voulu faire ?   24. Quel avis Rolando lui a-t-il donné ?   25. Pourquoi Gil n'a-t-il pas insisté ?   26. Pourquoi les voleurs n'ont-ils pas eu le moindre soupçon de son projet ?

XII

1. Quel discours Gil s'est-il adressé après le départ des voleurs ?   2. Décrivez les préparatifs qu'il a faits pour mettre son entreprise à exécution.   3. Dans quel état était la dame inconnue ?   4. Qu'est-ce que la vieille lui disait ?   5. Pourquoi Léonarde n'en a-t-elle pas dit davantage ?   6. Pourquoi a-t-elle donné la clef à Gil ?   7. Quelles paroles Gil a-t-il adressées à la dame ?   8. Qu'a-t-elle fait ?   9. De quelle façon Gil s'est-il débarrassé de la vieille ?   10. Quel parti a-t-elle pris ? 11. Combien de pistoles Gil Blas a-t-il mises dans ses poches ? 12. Comment a-t-il obligé la dame à s'en charger aussi ? 13. Où sont-ils allés ensuite ?   14. Si le vieux nègre essayait d'être méchant, que ferait Gil Blas ?   15. Pourquoi Domingo ne s'est-il pas opposé à leur fuite ?   16. Décrivez l'évasion de Gil et de la dame.   17. Pourquoi mouraient-ils de peur ?   18. A quelle heure sont-ils arrivés à Astorga ?   19. Qu'est-ce que Gil a aperçu ?   20. Qu'a-t-il fait en arrivant à l'hôtellerie ? 21. Pourquoi Gil et la dame n'avaient-ils pu se parler en

chemin ? 22. Qu'est-ce que la dame lui a dit ? 23. Comment Gil l'a-t-il engagée à lui donner sa confiance ? 24. Quelle était la dame ?

XIII

1. Qu'est-ce qui a interrompu la conversation ? 2. Qu'a fait le jeune homme qui était entré ? 3. Qu'est-ce qu'il s'est écrié ? 4. Qui était ce jeune homme ? 5. Qu'a pensé le magistrat de l'embarras de Gil ? 6. Décrivez ce juge. 7. Parlez de la visite que Gil a reçue en prison. 8. Pourquoi le magistrat et ses exempts étaient-ils si joyeux ? 9. Qu'est-ce que le juge a dit à Gil ? 10. Comment les officiers l'ont-ils fouillé ? 11. Qu'est-ce que Gil a raconté au magistrat ? 12. A-t-on apporté à Gil une perdrix pour dîner ? 13. Qu'est-ce que le magistrat lui a dit le seizième jour ? 14. De quoi dépendait son élargissement ? 15. De quoi Gil a-t-il remercié le juge ? 16. Le muletier a-t-il reconnu Gil ? 17. Pourquoi a-t-il fait semblant de ne pas le reconnaître ? 18. Qu'est-ce que Gil lui a crié ? 19. Gil a-t-il été mis en liberté ? 20. Pourquoi regrettait-il le souterrain ?

XIV

1. Pourquoi venait-on voir Gil ? 2. Quel effet son histoire a-t-elle produit dans l'esprit de ses auditeurs ? 3. Qui est venu voir Gil un jour ? 4. Qu'est-ce que le petit chantre lui a promis ? 5. A-t-il tenu sa promesse ? 6. Qu'est-ce que le magistrat a dit à Gil ? 7. Pourquoi Gil n'aurait-il pu reconnaître le souterrain ? 8. De quelle façon a-t-on habillé Gil pour sa sortie ? 9. Qu'est-ce qui modérait sa joie ? 10. Qu'a fait Gil tout d'abord en sortant de prison ? 11. Parlez du dessein dont il a fait part au chantre. 12. Qu'est-ce qui l'embarrassait ? 13. Qu'est-ce que le petit chantre lui a donné ? 14. A-vait-il eu raison de ne pas vanter sa bourse ? 15. Qu'est-ce que Gil a demandé en arrivant à Burgos ? 16. Qu'a-t-il

appris ? 17. Qu'est-ce que doña Mencia lui a dit ? 18. Que lui a-t-elle donné ? 19. Comment Gil l'en a-t-il remerciée ?

XV

1. Où Gil est-il allé ensuite ? 2. Pourquoi a-t-il compté ses ducats devant l'hôtelier ? 3. Ce dessein a-t-il réussi ? 4. L'hôtelier est-il allé chercher un tailleur pour Gil ? 5. Gil a-t-il approuvé son conseil ? 6. Pourquoi voulait-il bien souper ? 7. A-t-il bien mangé ? 8. A-t-il bien dormi ? 9. Qu'est-ce que Gil a fait le lendemain matin ? 10. Décrivez l'habit qu'il a acheté. 11. Le fripier a-t-il été content du marché ? 12. Qu'est-ce que Gil a acheté de plus ? 13. Comment doña Mencia l'a-t-elle reçu ? 14. Qu'a-t-elle fait en se retirant ? 15. Sur quoi Gil avait-il compté ? 16. Qui est arrivé à l'hôtellerie et que portait-il ? 17. Quel effet l'apparition du sac a-t-elle eu sur Gil ? 18. Qu'est-ce qu'il a trouvé dans le sac ? 19. Pourquoi l'hôte est-il entré ? 20. Qu'est-ce qui l'a frappé vivement ? 21. Pourquoi Gil l'a-t-il prié de l'aider de ses conseils ? 22. Quel conseil l'hôte lui a-t-il donné ? 23. Qu'est-ce que Gil a fait le lendemain ? 24. Comment était le valet ? 25. Qu'est-ce que Gil a acheté ? 26. Quand est-il parti ?

XVI

1. A quelle sorte d'hôtel Gil est-il descendu ? 2. A-t-il pris soin lui-même de ses mules ? 3. Quand s'est-il réveillé ? 4. Où avait été Ambroise ? 5. Qu'a-t-on commandé pour le souper ? 6. Décrivez la dame qui est venue avec l'hôte à la chambre de Gil. 7. Qui l'accompagnait ? 8. Qu'a-t-elle fait quand elle a appris qui Gil était ? 9. De qui Gil s'est-il ressouvenu ? 10. Qu'est-ce qui l'en a fait juger plus avantageusement ? 11. Quelle était la dame ? 12. Comment avait-elle trouvé Gil ? 13. Qu'est-ce qu'elle l'a prié de faire ? 14. Pour-

quoi Gil a-t-il voulu refuser son invitation ? 15. Qu'y avait-il
à la porte de l'hôtellerie ? 16. Pourquoi la dame a-t-elle pris
soin de mettre la valise dans le carrosse ? 17. Où sont-ils
descendus du carrosse ? 18. Décrivez l'appartement où ils
sont montés. 19. Qu'a dit la dame ? 20. Décrivez don
Raphaël. 21. Comment a-t-il reçu Gil ?

XVII

1. Où sont-ils allés ? 2. Quelle prière ont-ils faite à Gil ?
3. Pourquoi Gil croyait-il que Camille le trouvait fort à son
gré ? 4. Qu'a proposé don Raphaël ? 5. Quel dessein a-t-on
formé ? 6. Qu'est-ce que la dame a dit en regardant la bague
de Gil Blas ? 7. Que lui a-t-elle montré ? 8. Qu'est-ce que
Gil a pensé du troc ? 9. Décrivez la manière dont la dame
s'est retirée. 10. Quel ordre Gil a-t-il donné à son valet ?
11. Comment a-t-il passé la nuit ? 12. Pourquoi Gil se croyait-
il pour longtemps en fonds ? 13. Comment Gil a-t-il expliqué
l'absence de son valet ? 14. Pourquoi a-t-il changé d'avis ?
15. Qui a répondu à ses appels ? 16. Qu'est-ce que Gil a
appris ? 11. Comment Gil a-t-il expliqué l'affaire ?

XVIII

1. Gil s'est-il abandonné à son chagrin ? 2. Que se disait-il
en s'habillant ? 3. Pourquoi n'est-il pas retourné chez doña
Mencia ? 4. Que faisait-il en regardant sa bague ? Pourquoi ?
5. Comment a-t-il su la valeur de sa bague ? Combien valait-
elle ? 6. Qui a-t-il rencontré en sortant de chez le lapidaire ?
7. Qui était ce jeune homme ? 8. Pourquoi Fabrice a-t-il
dit que Gil était vêtu comme un prince ? 9. Qu'est-ce que Gil
lui a conté ? 10. Que faisait Fabrice ? 11. Qu'est-ce que Gil
pensait du rôle de valet ? 12. Et Fabrice, qu'en pensait-il ?
13. Pourquoi Fabrice voulait-il que Gil devînt valet ?
14. Qu'est-ce qui a déterminé Gil à se mettre en condition ?

15. Chez qui Fabrice allait-il conduire Gil ? 16. De quoi cet homme tenait-il un registre exact ? 17. Qu'avait-il fait pour Fabrice ? 18. Comment a-t-il reçu Gil et Fabrice ? 19. Pourquoi le licencié Sédillo avait-il besoin d'un valet ? 20. Pourquoi, selon Fabrice, la maison de Sédillo était-elle une des meilleures de Valladolid ?

XIX

1. Pourquoi Fabrice et Gil étaient-ils si pressés d'arriver chez Sédillo ? 2. Jacinte ressemblait-elle à Léonarde ? 3. Que lui a dit Fabrice ? 4. Pourquoi a-t-elle demandé si c'était Gil qui recherchait la place vacante ? 5. Qu'est-ce que Fabrice lui a répondu ? 6. Où Jacinte avait-elle déjà vu Fabrice ? 7. Était-elle satisfaite de la recommandation ? 8. En quoi l'appartement consistait-il ? 9. Pourquoi Jacinte a-t-elle fait attendre les deux valets ? 10. Comment était le licencié lorsque Gil l'a vu pour la première fois ? 11. Pourquoi a-t-il reçu Gil à son service ? 12. Qu'est-ce qu'il lui a demandé ? 13. Quel effet le récit de Gil a-t-il eu sur le vieux podagre ? 14. Pourquoi Gil n'a-t-il pas achevé son récit ? 15. Pourquoi Gil n'était-il pas neuf dans l'art de faire la cuisine ? 16. Qu'est-ce que Jacinte a fait pendant que Gil dressait la table ? 17. Le chanoine a-t-il bien mangé ? 18. Qu'est-ce que la gouvernante lui a fait boire ? 19. De quoi le licencié soupait-il d'ordinaire ? 20. Quel était le seul désagrément pour Gil dans cette maison ? 21. Qu'est-ce que son maître lui a dit au sujet de Jacinte ? 22. De qui allait-il se souvenir dans son testament ? 23. Pourquoi Gil ne s'est-il pas dégoûté de sa position ?

XX

1. Qu'est-ce qui est arrivé au bout de trois mois ? 2. Qu'est-ce que Sédillo a fait pour la première fois de sa vie ? 3. Quelle était la réputation du docteur Sangrado ? 4. Qu'est-ce que

Jacinte aurait aimé ? 5. Pourquoi le licencié n'a-t-il pas fait
son testament ? 6. Décrivez le docteur Sangrado. 7. A quoi
le chanoine devait-il renoncer et pourquoi ? 8. Quel est le
fruit de l'intempérance ? 9. Comment le podagre aurait-il
pu éviter la goutte ? 10. Qu'est-ce qu'il a promis au docteur
Sangrado ? 11. Qu'est-ce que celui-ci a fait faire ? 12. Qu'a-
t-il dit au chirurgien ? 13. Pourquoi un malade n'a-t-il pas
besoin de beaucoup de sang ? 14. Pourquoi le chanoine s'est-
il laissé saigner sans résistance ? 15. Qu'est-ce qu'il fallait
donner au malade ? Pourquoi ? 16. Comment a-t-on traité le
chanoine ? 17. Quel en a été le résultat ?

XXI

1. Qu'est-ce que le malade a dit à Gil ? 2. Pourquoi Gil
a-t-il affecté de paraître fort triste ? 3. De quoi Gil s'est-il
aperçu ? 4. Qu'est-ce que Jacinte craignait ? 5. Qu'est-ce
que Gil a dit au notaire ? 6. Comment était ce notaire ?
7. Qu'a-t-il fait en apprenant que c'était le docteur Sangrado
qui soignait le chanoine ? 8. Qu'a-t-il dit ? 9. Qu'est-ce que
Gil l'a prié de faire ? 10. Comment ont-ils trouvé Jacinte ?
11. Qu'a-t-elle dit au chirurgien ? 12. Qu'a dit le notaire en
passant près de Gil ? 13. Pourquoi Gil s'est-il promis de bien
prier Dieu pour son maître ? 14. Quelle habitude le médecin
avait-il ? 15. A quoi a-t-il imputé la mort du chanoine ?
16. Qu'est-ce que le docteur et le chirurgien ont dit ?
17. Qu'ont fait Gil et Jacinte ? 18. Pourquoi les gens sont-ils
venus ? 19. Pourquoi les parents du défunt croyaient-ils
qu'il n'y avait pas de testament ? 20. Comment le chanoine
avait-il disposé de ses effets ? 21. Quelle sorte d'oraison
funèbre ses parents ont-ils faite ? 22. Gil a-t-il reçu un beau
legs ? 23. En quoi consistait la bibliothèque ? 24. Qu'est-ce
que Gil a fait de son legs ? 25. A quoi a-t-il borné la récompense
de ses services ?

XXII

1. Qu'est-ce que Gil avait fait à Madrid ? 2. Pourquoi est-il allé à Grenade ? 3. Qu'a-t-il dit à don Fernand ? 4. De quelle sorte d'homme l'archevêque avait-il besoin ? 5. Arrivé à l'archevêché, à qui Gil s'est-il adressé ? 6. Qu'a-t-il demandé ? 7. Qu'est-ce qu'on lui a dit ? 8. Comment les officiers ont-ils traité Gil ? 9. Qu'ont-ils fait lorsque l'archevêque a paru ? 10. Décrivez celui-ci. 11. Qu'est-ce que l'archevêque a dit à Gil ? 12. Quel effet les paroles de l'archevêque ont-elles eu sur les officiers ? 13. Pourquoi Monseigneur a-t-il fait entrer Gil dans son cabinet ? 14. Qu'est-ce que notre héros s'est préparé à faire ? 15. Comment a-t-il répondu aux questions sur les humanités ? 16. Qu'est-ce que l'archevêque a dit ? 17. A-t-il été satisfait de l'écriture de Gil ?

XXIII

1. Comment Gil a-t-il copié l'homélie le lendemain matin ? 2. Qu'est-ce que l'archevêque lui a demandé ? 3. Comment Gil a-t-il répondu à cette question ? 4. Qu'est-ce que Monseigneur a répété un soir devant Gil ? 5. Quels morceaux Gil a-t-il cités ? 6. Qu'est-ce que l'archevêque lui a promis ? 7. Quel prix Monseigneur se proposait-il ? 8. Qu'est-ce qu'il a exigé de Gil ? 9. Pourquoi l'archevêque ne se fiait-il pas à lui-même là-dessus ? 10. Pourquoi Gil le regardait-il comme un autre cardinal Ximénès ? 11. Pourquoi Gil ne devait-il pas craindre d'être franc et sincère ? 12. Qu'est-ce que l'archevêque lui a déclaré tout net ? 13. Quelle réponse Gil a-t-il faite ? 14. Qu'est-ce que Gil est devenu depuis ce moment-là ?

XXIV

1. Quelle alarme a-t-on eue au palais épiscopal ? 2. Quel effet cela a-t-il eu sur l'archevêque ? 3. Quand Gil l'a-t-il remarqué ? 4. Pourquoi a-t-il attendu encore une homélie ? 5. Celle-ci était-elle très bonne ? 6. Qu'est-ce que les auditeurs

se disaient ? 7. Pourquoi Gil croyait-il devoir avertir l'archevêque ? 8. Pourquoi s'est-il enfin déterminé à parler ?
9. De quoi était-il embarrassé ? 10. Comment l'orateur l'a-
t-il tiré de cet embarras ? 11. Qu'est-ce que Gil lui a répondu ?
12. Quelle liberté Gil a-t-il prise ? 13. Quel effet ces paroles
ont-elles eu sur son maître ? 14. Comment Gil a-t-il osé parler
si librement ? 15. Qu'est-ce que Sa Grandeur a trouvé
mauvais ? 16. A quoi Monseigneur était-il accoutumé ?
17. Qu'est-ce qu'il a dit à Gil en le poussant hors de son cabinet?
18. Que lui a-t-il souhaité ? 19. Qu'est-ce que Gil a dit au
trésorier ? 20. Quel parti Gil a-t-il pris ? 21. Que voulait-il
faire ?

XXV

1. Quel emploi Gil a-t-il rempli à Madrid ? 2. Qu'a-t-on
appris un jour ? 3. Pourquoi Gil est-il allé au château de
Lerme ? 4. Qu'est-ce que le duc de Lerme a demandé ?
5. Qu'est-ce qui est arrivé six mois après ? 6. Y avait-il
beaucoup de monde chez le ministre ? 7. Qu'est-ce que don
Diègue lui a dit ? 8. Pourquoi le duc a-t-il mené Gil dans son
cabinet ? 9. Qu'est-ce qu'il a voulu savoir ? 10. Qu'est-ce
qu'il a pensé du récit de Gil ? 11. Qu'y avait-il dans le petit
cabinet ? 12. A quoi servaient les registres ? 13. En quoi
consistaient les occupations de Gil ? 14. Comment Gil a-t-il
trouvé le premier mémoire ? 15. Qu'est-ce que le duc a pensé
de son ouvrage ? 16. Qu'a-t-il dit ? 17. Comment le ministre
a-t-il reçu son neveu ? 18. Qu'est-ce que les secrétaires et les
commis faisaient à midi ? 19. Où Gil s'est-il rendu ?
20. Qu'est-ce qu'il a eu soin de dire en entrant ? 21. Comment
l'a-t-on servi ? 22. De quelle façon Gil a-t-il payé son repas ?

XXVI

1. Quelle sorte d'appartement Gil a-t-il loué? 2. Comment s'est-il occupé toute l'après-midi ? 3. Qu'est-ce que les

deux secrétaires lui ont dit ? 4. Quelles réflexions Gil a-t-il faites ? 5. De quoi enrageait-il ? 6. Combien d'argent avait-il ? 7. A quoi s'est-il attaché ? 8. Qu'est-ce que le duc lui a dit une après-midi ? 9. Qu'est-ce que Gil a fait en entendant ces paroles ? 10. Comment le duc voulait-il mettre sa fortune à l'abri des tempêtes qui la menaçaient ? 11. De quoi a-t-il chargé Gil ? 12. Pourquoi Gil croyait-il qu'il allait bientôt être comblé de richesses ? 13. Comment le ministre a-t-il donné des marques de l'affection qu'il avait pour Gil ? 14. Où Gil accompagnait-il le duc ? 15. Pourquoi Gil se croyait-il un homme de conséquence ? 16. Parlez de la visite de Gil chez le roi. 19. Quelle recommandation est-ce que celui-ci a faite à son ministre ? 18. Où Gil habitait-il en ce temps-là ? 19. Combien de temps passait-il chez lui ? 20. Quel contraste y avait-il dans sa vie ? 21. Pourquoi n'a-t-il parlé à personne de ses besoins ? 22. Qu'est-ce qu'il avait été obligé de faire ? 23. Pourquoi n'allait-il plus à l'auberge ? 24. Que faisait-il pour vivre ?

XXVII

1. Qu'est-ce que Gil s'est déterminé enfin à faire ? 2. Quand l'occasion s'est-elle offerte ? 3. Qu'est-ce que le ministre a fait faire à Gil un matin ? 4. Où sont-ils allés s'asseoir ? 5. Que faisaient-ils ? 6. De quoi paraissaient-ils occupés ? 7. Où les deux pies sont-elles venues se poser ? 8. Pourquoi ont-elles attiré l'attention de Gil et du duc ? 9. Qu'est-ce que la curiosité du duc a rappelé à Gil ? 10. Qui était Atalmuc ? 11. Qui était Zéangir ? 12. Atalmuc et Zéangir étaient-ils souvent ensemble ? 13. Qu'est-ce qui est arrivé un jour ? 14. Comment Zéangir pouvait-il savoir ce que disaient les oiseaux ? 15. Qu'est-ce qu'il a paru faire ? 16. Qu'est-ce que le premier corbeau a dit ? 17. Et l'autre, qu'a-t-il ajouté ? 18. Pourquoi Gil a-t-il cessé de parler en cet endroit? 19. Qu'est-ce que le duc de Lerme a demandé ? 20. Comment

Gil a-t-il répondu à sa question ? 21. Comment le duc a-t-il
rompu l'entretien ? 22. Qu'est-ce que Gil a pensé ? 23. Comment s'est-il excusé auprès du duc ? 24. Qu'est-ce que le duc a
fait pour réparer sa faute ? 25. Qu'a-t-il permis à Gil de faire ?

XXVIII

1. Quelle est la première chose que Gil a faite dès son retour
à Madrid ? 2. Quel changement s'est produit en lui ? 3. A-t-il
gardé sa chambre garnie ? 4. Qui a-t-il envoyé chercher ?
5. Qu'est-ce qu'il a prié l'hôte de faire ? 6. Pourquoi Gil n'a-t-il
pas pris le premier valet qui s'est présenté ? 7. Comment
était le deuxième ? 8. Pourquoi Gil n'a-t-il pas eu lieu de se
repentir de son choix ? 9. Qu'est-ce qu'il lui fallait ? 10. Qui
est-ce que Scipion a amené le premier jour ? 11. Pourquoi le
jeune gentilhomme recherchait-il la protection du duc de
Lerme ? 12. Qu'était-il disposé à faire ? 13. Qu'est-ce que
Gil a tiré de cette affaire ? 14. Qu'est-ce qui a encouragé
Scipion à faire de nouvelles recherches ? 15. Parlez du nouveau
quidam. 16. Qu'est-ce que Gil a fait pour lui ? 17. Que veut
dire le proverbe, l'appétit vient en mangeant ? 18. Pourquoi
Gil cherchait-il le gouvernement de la ville de Véra pour le
chevalier de Calatrava ? 19. Qu'est-ce que le ministre lui a dit ?
20. Quel a été l'effet de ce discours sur Gil ? 21. Qu'aurait-il
volontiers fait afficher ? 22. Quelles autres faveurs a-t-il fait
accorder ? 23. Qu'est-ce que Gil a cru devoir faire ? 24. Qu'a-t-il loué ? 25. A quel honneur a-t-il élevé Scipion ? 26. Qu'est-ce qui a mis le comble à l'orgueil de Gil Blas ?

XXIX

1. A qui Scipion voulait-il marier Gil ? 2. Comment Gil
a-t-il répondu à cette proposition ? 3. Pourquoi l'héritière
était-elle un excellent parti ? 4. Pourquoi Gil s'est-il rendu ?
5. Qu'est-ce qui a disposé Gabriel à accepter Gil pour gendre ?

6. A quelle condition Gil aurait-il sa fille ? 7. L'héritière était-elle belle ? 8. Quel échange de politesses Gil et Gabriel allaient-ils faire ? 9. Comment Gil a-t-il montré sa confiance ? 10. Comment l'orfèvre l'a-t-il reçu ? 11. Comment était Gabriel ? 12. Qu'est-ce que Gil a dit à sa femme et à sa fille ? 13. Pourquoi celle-ci n'a-t-elle pas paru désagréable à Gil ? 14. Décrivez un peu la maison de Salero. 15. Qui est-ce que Gil a invité à souper ? 16. De quoi ces gens se sont-ils entretenus ? 17. Comment cela a-t-il fait son effet ? 18. De quoi Gil se contenterait-il ? 19. Pourquoi ses amis ont-ils dit qu'il aurait tort ?

XXX

1. Pourquoi Scipion est-il allé voir Salero le lendemain ? 2. Qu'est-ce que le bourgeois a dit ? 3. Quel accueil le duc de Lerme a-t-il fait à Salero ? 4. Qu'est-ce que celui-ci a cru avoir trouvé ? 5. Qu'a-t-il dit à Gil lorsqu'ils se sont séparés ? 6. Comment se sont-ils préparés à cette cérémonie ? 7. Qu'est-ce que Gil a fait la veille de son mariage ? 8. Comment s'est-il conduit ? 9. Qu'a-t-il eu pour prix de sa patience? 10. Qu'a-t-on fait après le repas ? 11. Pourquoi la compagnie a-t-elle commencé à former des danses ? 12. Qu'est-ce que Salero allait faire le lendemain ? 13. Qu'est-ce qui est arrivé quand Gil était à deux cents pas de la maison ? 14. Qu'a-t-on fait faire à Gil ? 15. Quel ordre le chef de la troupe a-t-il donné au cocher ? 16. Pourquoi Gil a-t-il voulu questionner l'homme à côté de lui ? 17. Comment l'homme lui a-t-il répondu ? 18. Décrivez le voyage.

XXXI

1. Comment a-t-on traité Gil ? 2. De quelle façon a-t-il passé la nuit ? 3. Comment s'est-il expliqué son arrestation ? 4. Qu'est-ce qu'il avait fait pour don André de Tordesillas ?

5. Qu'est-ce que celui-ci avait fait au lieu de s'embarquer pour les Indes ? 6. Quels ordres don André avait-il reçus ? 7. Qu'est-ce qu'il prétendait faire ? 8. Qu'a-t-il fait faire à Gil ? 9. Qu'est-ce que Gil a vu en entrant dans la chambre ? 10. Pourquoi Tordesillas avait-il destiné ce réduit à Gil ? 11. Comment y serait-il ? 12. Qu'est-ce que Gil a dit à son geôlier ? 13. Pourquoi Gil avait-il été emprisonné ? 14. Pourquoi son emprisonnement ne serait-il pas de longue durée ? 15. Quelle était l'idée la plus affligeante pour Gil ? 16. Qu'est-ce qu'il se peignait ? 17. Qu'est-ce que Tordesillas est venu lui annoncer le lendemain ? 18. Qu'est-ce que le jeune homme lui avait dit ? 19. Pourquoi don André avait-il cédé à sa prière ? 20. Qu'est-ce que Gil a attendu avec impatience ? 21. Comment Gil et Scipion se sont-ils salués ? 22. Dans quel état Scipion avait-il laissé l'hôtel de son maître ? 23. Qu'est-ce que Scipion avait sauvé ? 24. Pourquoi croyait-il que Gil serait bientôt remis en liberté ? 25. Scipion était-il d'avis que Gil écrivît au ministre ?

XXXII

1. La lettre de Gil était-elle touchante ? 2. Qu'est-ce que Gil espérait ? 3. Comment le ministre a-t-il reçu la lettre ? 4. Quel effet cela a-t-il eu sur Gil ? 5. Qu'est-il devenu ? 6. Qu'est-ce que le châtelain a fait pour lui ? 7. Comment a-t-il présenté les médecins à Gil ? 8. Lui ont-ils fait beaucoup de bien ? 9. Comment Gil a-t-il été sauvé ? 10. Quel effet sa maladie a-t-elle eu sur lui ? 11. Quelle résolution a-t-il prise ? 12. Que s'est-il proposé de faire ? 13. Scipion a-t-il applaudi à ce dessein ? 14. Qu'est-ce que le châtelain est venu dire à Gil au bout d'un mois ? 15. Gil a-t-il été mortifié qu'on lui interdît la cour ? 16. Qu'est-ce que Gil a fait le lendemain ? 17. Comment a-t-il pris congé de Tordesillas ? 18. Pourquoi Gil et son confident allaient-ils à Madrid ? 19. Quelle vie Gil voulait-il mener ? 20. Que mangerait-il pour vivre ?

XXXIII

1. Quelle est la première chose que Gil et Scipion ont faite à Madrid ? 2. Comment Salero les a-t-il reçus ? 3. Pourquoi avait-il marié sa fille à un négociant ? 4. Gil a-t-il approuvé cette alliance ? Pourquoi ? 5. Qu'est-ce qu'il y avait dans le cabinet de Salero ? 6. Revenus à l'hôtel, qu'est-ce que Gil et son confident ont fait ? 7. Le compte était-il juste ? 8. Qu'est-ce que Gil avait fait pour don Alphonse ? 9. Qu'est-ce que Gil lui a raconté ? 10. Comment don Alphonse voulait-il affranchir Gil du pouvoir de la fortune ? 11. Quel bien voulait-il lui donner ? 12. Qu'est-ce que Gil lui a appris ? 13. Pourquoi Gil ne voulait-il pas d'argent ? 14. Pourquoi sont-ils allés chez le notaire ? 15. Scipion a-t-il été surpris quand Gil lui a annoncé la nouvelle ? 16. Qu'a-t-il dit ? 17. Pourquoi fallait-il que Gil fît un tour aux Asturies avant d'aller prendre possession de sa terre ? 18. Pourquoi le ciel lui avait-il fait trouver cet asile ? 19. Gil et Scipion allaient-ils voyager à pied ? 20. Avec qui Gil allait-il partager les douceurs de sa retraite ? 21. Comment se traduisent les vers latins qu'il voulait écrire sur la porte de sa maison ?

EXERCICES

GIL BLAS AU LECTEUR

Révision grammaticale: L'accord du participe passé.
Verbes: Les verbes réguliers; terminaisons des trois conjugaisons.

Remplacez les tirets par la forme convenable du verbe indiqué:

1. Pendant qu'ils se délassaient après s'être ——— (*désaltérer*), ils aperçurent quelques mots déjà un peu ——— (*effacer*) par le temps et par les pieds des troupeaux.

2. Ici est ——— (*enfermer*) l'âme d'un licencié.

3. Il n'eut pas ——— (*achever*) de lire l'inscription ...

4. Une âme ——— (*enfermer*) !

5. Une carte sur laquelle étaient ——— (*écrire*) ces paroles en latin ...

CHAPITRE I

Révision grammaticale: Les verbes neutres qui se conjuguent avec l'auxiliaire *être;* les verbes pronominaux (réfléchis); les verbes passifs.
Verbes: Les auxiliaires *avoir* et *être.*

Substituez le passé indéfini au passé défini:

1. Ils *allèrent* ensuite demeurer à Oviédo. 2. Ma mère *devint* femme de chambre. 3. Il *se chargea* de mon éducation. 4. Il *m'acheta* un alphabet. 5. Il *parvint* à lire couramment son bréviaire. 6. Je *profitai* des leçons qu'on me *donna.* 7. Je *m'acquis* la réputation de savant. 8. J'*allai* embrasser mes parents. 9. Ils me *firent* présent de leur bénédiction. 10. Aussitôt je *montai* sur ma mule et *sortis* de la ville.

CHAPITRE II

Révision grammaticale: L'emploi des temps. Distinguez nettement entre l'emploi du passé indéfini et de l'imparfait.

Verbes: *aller, venir.*

Mettez à l'imparfait ou au passé indéfini les verbes entre parenthèses; faites tous les autres changements nécessaires:

1. Je les —— (*compter*) peut-être pour la vingtième fois quand tout à coup ma mule —— (*s'arrêter*).
2. Je —— (*juger*) que quelque chose la —— (*effrayer*).
3. Je —— (*regarder*) pour voir ce que ce —— (*pouvoir*) être.
4. Je —— (*apercevoir*) sur la terre un chapeau renversé sur lequel il y —— (*avoir*) un rosaire à gros grains.
5. Je —— (*tourner*) aussitôt les yeux du côté d'où —— (*partir*) la voix.
6. Je —— (*voir*) au pied d'un buisson une espèce de soldat qui, sur deux bâtons croisés, —— (*appuyer*) le bout d'une escopette.
7. Je les —— (*jeter*) dedans l'un après l'autre pour montrer au soldat que je —— (*être*) généreux.
8. Je —— (*se représenter*) que je ne —— (*être*) pas encore à Salamanque.

CHAPITRE III

Révision grammaticale: L'emploi de la préposition.

Verbes: *faire, dire.*

Remplacez les tirets par les prépositions convenables; gardez-vous d'en mettre s'il n'en faut pas:

1. J'arrivai heureusement —— Peñaflor; je m'arrêtai —— la porte —— une hôtellerie —— assez bonne apparence.
2. Cet hôte était aussi prompt —— conter ses propres affaires que curieux —— savoir celles —— autrui.

3. Il avait servi longtemps —— qualité —— sergent et, ——
quinze mois, il avait quitté le service —— épouser une
fille qui faisait —— valoir le bouchon.

4. Se croyant —— droit —— tout exiger —— moi, il me
demanda —— où je venais.

5. —— quoi il me fallut —— répondre article —— article,
parce qu'il accompagnait —— une profonde révérence
chaque question qu'il me faisait.

6. Il me pria —— un air si respectueux —— excuser sa
curiosité que je ne pouvais —— me défendre —— la
satisfaire.

7. Cela me donna lieu —— parler —— le dessein et —— les
raisons que j'avais —— me défaire —— ma mule.

8. J'avais dessein —— m'en défaire —— me mettre —— les
mains —— un muletier.

9. Le maquignon se mit —— l'examiner —— les pieds —— la
tête.

10. Il finit —— dire que —— intéressant sa conscience je le
prenais —— son faible.

CHAPITRE IV

RÉVISION GRAMMATICALE: Les pronoms relatifs.
VERBES: *mettre, prendre.*

Mettez à la place du tiret le pronom relatif convenable:

1. L'omelette —— on me faisait . . .

2. L'homme —— l'avait arrêté dans la rue . . .

3. Vous ne savez pas —— vous possédez.

4. La joie —— votre présence me cause . . .

5. C'était un de ces parasites —— l'on trouve dans toutes les
villes.

6. A l'air complaisant —— il s'y prenait, je vis bien qu'elle
serait bientôt expédiée.

7. J'en commandai une seconde —— fut faite promptement.

8. Il trouvait moyen de me donner louanges sur louanges, —— me rendait fort content de ma petite personne.

9. Je vais vous donner un avis —— vous me paraissez avoir besoin.

10. Corcuelo arriva avec sa note, dans —— la truite n'était pas oubliée.

CHAPITRE V

RÉVISION GRAMMATICALE: Pronoms et adjectifs démonstratifs.
VERBES: *écrire, lire.*

Remplacez les tirets par des pronoms ou des adjectifs démonstratifs:

1. En disant —— d'un air fort naturel, il sortit. 2. Il ne nous vint pas dans l'esprit que —— pouvait être une feinte. 3. Ils éclatèrent de rire à —— discours. 4. Je ne savais —— que je devais penser de —— rencontre. 5. —— est ici que nous demeurons. 6. —— deux hommes levèrent une grande trappe de bois. 7. —— qui y vivaient étaient des voleurs. 8. Des cordes y étaient attachées pour —— effet. 9. N'oubliez pas ——: —— qui m'a volé sera mis à la torture. 10. —— collines étaient plus petites que —— de chez nous.

CHAPITRE VI

RÉVISION GRAMMATICALE: Le partitif.
VERBES: *partir, sortir,* verbes en *–indre.*

Mettez à la place du tiret le mot exigé par le contexte:

1. Je n'apercevais ni —— maison ni —— cabane.

2. Je compris alors avec quelle sorte de —— gens j'étais.

3. Deux grosses lampes —— fer étaient pendues à la voûte.

4. Il y avait une bonne provision —— paille et plusieurs tonneaux remplis —— orge.

5. Une vieille femme faisait rôtir —— viandes.

6. La cuisine était ornée —— ustensiles nécessaires et tout auprès on voyait une office pourvue —— toutes sortes —— provisions.

7. Je vis une infinité —— bouteilles et —— pots —— terre bien bouchés, qui étaient pleins —— vin excellent.

8. Dans les unes il y avait —— pièces —— toile; dans les autres, —— étoffes —— laine et —— étoffes —— soie.

9. J'aperçus dans une autre —— or et —— argent, sans compter beaucoup —— vaisselle.

10. Je le suivis dans un grand salon que trois lustres —— cuivre éclairaient et qui servait —— communication à —— autres chambres. Il me fit là —— nouvelles questions.

11. Je parai le buffet —— tasses —— argent et —— plusieurs bouteilles —— terre pleines —— bon vin que le capitaine —— voleurs m'avait vanté.

12. Ils commencèrent à manger avec beaucoup —— appétit et je me tins prêt à leur verser —— vin.

13. J'eus le bonheur de m'attirer —— compliments, mais j'étais alors revenu —— louanges et je pouvais —— entendre sans —— péril.

14. Un grand plat —— rôti, servi peu —— temps après les ragoûts, acheva de rassasier les voleurs.

15. Nous sommes toujours dans —— joie; ni —— haine ni —— envie ne se glissent parmi nous.

16. Je ne te crois pas assez sot pour te faire —— peine d'être avec —— voleurs.

CHAPITRE VII

RÉVISION GRAMMATICALE: Les équivalents français du participe présent anglais.

VERBES: *naître, mourir.*

Traduisez en français:

1. Domingo and Léonarde were eating supper while awaiting me. 2. Finally Domingo, after eating and drinking well,

retired to his stable. 3. " Here is your room," she said, chucking me under the chin. 4. Saying these words, she gave me the lamp. 5. I am reduced to serving robbers, to passing the day with brigands and the night with dead people. 6. These thoughts were very mortifying. 7. But, considering that I was wasting away in vain regrets, I began thinking of means of escaping. 8. I uttered a piercing shriek and, turning around, I saw the Negro, who was holding a dark lantern. 9. The robbers were sleeping. 10. Two or three robbers awoke with a start and, not knowing whether it was the gendarmes who were coming to surprise them, they got up, shouting to their comrades. 11. They returned to their rooms, laughing heartily. 12. I spent the rest of the night sighing and weeping.

CHAPITRE VIII

RÉVISION GRAMMATICALE: L'infinitif.

VERBES: *vivre, voir,* verbes en *–uire.*

Mettez à la place des tirets les prépositions convenables; gardez-vous d'en employer là où il n'en faut pas:

1. Je pensai —— succomber.
2. Je ne faisais que —— traîner une vie mourante.
3. Mon bon génie m'inspira la pensée —— dissimuler.
4. J'affectai —— paraître moins triste; je commençai —— rire et —— chanter.
5. Je prenais un air gai —— leur versant —— boire.
6. Je me mêlais —— leur entretien quand je trouvais occasion —— y placer quelque plaisanterie.
7. Ma liberté, loin —— leur déplaire, les divertissait.
8. Tu as bien fait —— bannir la mélancolie.
9. Ils m'exhortèrent —— persister.
10. Je meurs —— envie —— partager avec vous les périls de vos expéditions.
11. Il fut résolu qu'on me laisserait —— servir encore quelque temps —— éprouver ma vocation.

12. Ensuite on me ferait —— faire ma première campagne.
13. On ne pouvait, disait-on, —— me le refuser.
14. Il fallut donc —— continuer —— me contraindre et —— exercer mon emploi.
15. Je n'aspirais —— devenir voleur que —— avoir la liberté —— sortir comme les autres.
16. J'espérais que —— faisant des courses avec eux je leur échapperais.
17. J'essayai —— surprendre sa vigilance.
18. Pour me faire —— voir qu'ils me regardèrent déjà comme un de leurs compagnons, ils me dispensèrent —— les servir.
19. Ils rétablirent Léonarde dans l'emploi qu'on lui avait ôté —— m'en charger.
20. Je me disposai —— faire ma première campagne.

CHAPITRE IX

Révision grammaticale: L'article.
Verbes: *devoir, falloir, pleuvoir.*

Traduisez:

1. We lay in ambush. 2. We waited for fortune to offer us a good haul. 3. "God be praised!" laughingly exclaimed Captain Rolando. 3. "Captain Rolando," I said to him, "you will be satisfied." 5. I prayed heaven to pardon me. 6. I demanded his purse. 7. People of my calling do not need money to travel in Spain. 8. We trust in Providence. 9. With you people figures of speech are useless. 10. He dropped his purse on the ground. 11. They scarcely gave me time to dismount. 12. These worthy monks do not travel like pilgrims. 13. Poor Gil Blas made the band laugh. 14. I advise you as a friend not to attack monks any more. 15. They are too clever (people) for you.

CHAPITRE X

Révision grammaticale: Pronoms et adjectifs possessifs.
Verbes: *pouvoir, vouloir.*

Traduisez en français les mots anglais:

1. Nous allions borner (*our*) exploits à ce risible événement, qui faisait encore le sujet de (*our*) entretien.
2. Bientôt il sortit de tout (*my*) corps une sueur froide.
3. Rolando remarqua (*my*) émotion.
4. Écoute, Gil Blas, songe à faire (*your*) devoir.
5. Si tu recules, je casserai (*your*)tête d'un coup de pistolet.
6. Il n'avait pour armes que (*his*) épée et deux pistolets.
7. Je ne manquai pas pourtant, bien que tremblant de tous (*my*) membres, de me tenir prêt à tirer (*my*)coup.
8. Je fermai (*my*)yeux et tournai (*my*) tête en déchargeant (*my*) carabine.
9. Je ne dois pas avoir ce coup-là sur (*my*) conscience.
10. (*My*) peur troubla (*my*)imagination.
11. Elle s'était évanouie pendant le combat et (*her*) évanouissement durait encore.
12. Les chevaux s'étaient un peu écartés après avoir perdu (*their*) guides.

CHAPITRE XI

Révision grammaticale: Pronoms et adjectifs interrogatifs.
Verbes: *battre, tenir.*

Remplacez les tirets par des pronoms ou des adjectifs interrogatifs:

1. A —— a-t-on attaché les bêtes ?   2. —— tenait le vieux nègre entrepris de tous ses membres ?   3. De —— façon a-t-il témoigné son impatience ?   4. A —— ont-ils donné toute leur attention ?   5. —— ont-ils fait pour la tirer de son évanouissement ?   6. —— elle a repris ?   7. De —— dangers s'est-elle

plainte au ciel ? 8. —— des malles a réjoui infiniment les
voleurs ? 9. —— remarque Rolando a-t-il adressée à Gil ?
10. —— la colique ? 11. —— est le mot français pour
" frightful " ? 12. —— Gil souffrait-il le plus, de ses maux ou
des remèdes des voleurs ?

CHAPITRE XII

RÉVISION GRAMMATICALE: Les pronoms personnels.
VERBES: *mentir, sentir, servir, dormir.*

*Substituez aux mots soulignés des pronoms personnels ou, s'il le
faut, des adverbes; faites tous les autres changements nécessaires:*

1. Il faut de la résolution.
2. Arme-toi de l'épée.
3. Saisis cette occasion.
4. Domingo ne peut s'opposer à ton entreprise.
5. J'allai à la cuisine.
6. Léonarde parlait à la dame.
7. N'épargnez point les soupirs.
8. Vous vous accoutumerez à vivre ici.
9. Je ne donnai pas à Léonarde le temps d'en dire davantage.
10. Je mis mon pistolet sur la table.
11. Elle remit la clef à Gil.
12. Elle ne me refusa pas ce que je lui demandais.
13. Je m'adressai à la dame.
14. Le ciel vous envoie un libérateur.
15. Il n'y avait pas de poudre dans son pistolet.
16. J'allai avec l'inconnue à l'écurie.
17. Il y avait de l'argent sous la table.
18. Gil et la dame s'en allèrent avec l'argent.
19. Je mourais de peur que nous ne rencontrassions Rolando
et ses camarades.
20. C'était son mari qui avait été tué par les voleurs.

CHAPITRE XIII

RÉVISION GRAMMATICALE: Pronoms et adjectifs démonstratifs;
ce et *il* (*elle*).

VERBES: *savoir, valoir.*

Traduisez les mots anglais:

1. Voilà mon pourpoint; (*that's it*).
2. (*It*) n'est pas plus difficile à reconnaître que mon cheval.
3. Je suis sûr que (*he*) est un de (*those*) voleurs qui ont une retraite inconnue dans (*this*) pays.
4. (*This*) homme n'était pas de (*those*) qui ont le regard terrible.
5. Dieu sait s'il en valait mieux pour (*that*).
6. Il y vint avec ses deux furets, (*that is to say*) ses exempts.
7. (*These*) paroles me réjouirent.
8. (*This*) pensée me mettait au désespoir.

CHAPITRE XIV

RÉVISION GRAMMATICALE: L'adjectif.
VERBES: *croire, rire.*

Traduisez:

1. Several people, 2. a little choir-boy, 3. a long conversation, 4. a more severe judge, 5. the most severe mother, 6. a serious affair, 7. an old dress, 8. a brand new dress, 9. a bad example (*exemple, m.*), 10. the worst crime, 11. a poor man, 12. poor man !, 13. a good situation, 14. a better situation, 15. a public way, 16. an old man, 17. a fine tree.

CHAPITRE XV

RÉVISION GRAMMATICALE: L'adverbe.
VERBES: *couvrir, ouvrir, offrir, souffrir.*

Traduisez:

1. Fully, happily, attentively, publicly, favorably, politely, abundantly, evidently, expressly, suddenly, quickly. 2. He sings well. 3. He sings better than I. 4. He is better than I.

CHAPITRE XVI

RÉVISION GRAMMATICALE: Les temps du verbe; l'auxiliaire *être;* l'accord du participe passé.

VERBES: *envoyer, recevoir.*

Mettez au passé indéfini les verbes en italique:

1. Nous *arrivâmes* à Valladolid. 2. Nous *descendîmes* à une hôtellerie. 3. Je *me jetai* sur mon lit. 4. Il *s'endormit* insensiblement. 5. Il ne *se trouva* point dans l'hôtellerie, mais il y *arriva* bientôt. 6. Mon hôte *entra* dans ma chambre. 7. — Le ciel, *s'écria*-t-elle, soit à jamais béni ! 8. Je *m'en défendis.* 9. Nous *montâmes* dans un appartement bien éclairé. 10. Il *s'approcha* de moi et me *serra* dans ses bras.

CHAPITRE XVII

RÉVISION GRAMMATICALE: Pronoms et adjectifs possessifs.

VERBES: *s'asseoir, connaître.*

Traduisez:

1. They begged me to spend a few days at their house. 2. She found me much to her liking. 3. He left him with his sister. 4. She took his hand. 5. She had a large ruby on her finger. 6. An uncle of hers had given it to her. 7. She took my ring and put hers on my little finger. 8. Instead of sleeping, I thought of my valise, my ducats and my ring. 9. All your servants left my house before daybreak. 10. The old man said that the house was his. Theirs was a castle in Spain. 11. Their servants are more honest than ours. 12. Gil's ring was worth more than Camille's.

CHAPITRE XVIII

RÉVISION GRAMMATICALE: Le subjonctif et l'impératif.
VERBES: *paraître, plaire.*

Remplacez le tiret par la forme convenable du verbe indiqué et faites tous les autres changements nécessaires:

1. Je suis encore trop heureux que les fripons ne —— (*avoir*) pas emporté mes habits.

2. Quand je venais à penser que ce —— (*être*) un présent de Camille, j'en soupirais de douleur.

3. Je ne crois pas qu'il —— (*être*) nécessaire que je —— (*aller*) chez un joaillier pour être persuadé que je —— (*être*) un sot.

4. Je le reconnus avant qu'il —— (*achever*) ces paroles.

5. Que je —— (*être*) ravi de te rencontrer !

6. Je ne puis t'exprimer la joie que j'en —— (*ressentir*).

7. Je suis bien aise que tu —— (*être*) satisfait de ton sort.

8. Il me semble que tu —— (*pouvoir*) jouer un plus beau rôle que celui de valet.

9. Tu n'y penses pas; —— (*savoir*) qu'il n'y a point de situation plus agréable que la mienne.

10. Quelle folie de vouloir te faire pédant ! Ne me —— (*parler*) point d'un poste de précepteur, —— (*parler*)-moi plutôt de l'emploi d'un laquais.

11. —— (*croire*)-moi, Gil Blas, —— (*perdre*) pour jamais l'envie d'être précepteur et —— (*suivre*) mon exemple.

12. Il était surpris qu'un jeune homme en habit de velours brodé —— (*vouloir*) devenir laquais.

13. Je lui dis que je voulais que la reconnaissance —— (*précéder*) le service.

14. Je sais qu'il —— (*avoir*) pour gouvernante une vieille dame qui s'appelle Jacinte.

15. Ne —— (*perdre*) pas de temps, mon ami; —— (*aller*) ensemble chez le licencié.

CHAPITRE XIX

RÉVISION GRAMMATICALE: Pronoms personnels, possessifs et démonstratifs.

VERBES: *suivre, se taire.*

Traduisez:

1. We asked her whether we could speak to them. 2. She asked him whether I was the one who was looking for the vacant place. 3. I remember it. 4. Jacinte objected to it. 5. Among several suits was my predecessor's. 6. She made me take it and I put mine in its place. 7. Léonarde was not comparable to Jacinte; the latter excelled in everything. 8. She placed a napkin under his chin and fastened it to his shoulders. 9. I brought in a partridge which Jacinte cut up for him. 10. She took care to have him drink some wine. 11. She held the cup for him. 12. Do everything she tells you, as though I ordered it myself. 13. My will shows clearly that I do not bother much with them. 14. You will not be forgotten in it, if you continue to serve me as you have begun.

CHAPITRE XX

RÉVISION GRAMMATICALE: L'article; le partitif.

VERBES: *acquérir, vaincre.*

Traduisez:

1. Canon Sédillo fell ill. 2. He asked for Dr. Sangrado. 3. Ordinarily I eat bisques and juicy meats. 4. Delicious morsels are poisoned pleasures. 5. They are traps which luxury sets for men. 6. Blood is insipid. 6. Do you drink wine? 8. If you had drunk nothing but plain water, you would not be tortured with gout at present. 9. Content yourself with baked apples, peas and beans. 10. Is blood necessary for the preservation of life? 11. He needs more water. 12. He has no more wine. 13. He allows himself to be bled without any

resistance. 14. We put on some water to heat. 15. We made him drink two or three pints of it. 16. We poured a deluge of water into old Sédillo.

CHAPITRE XXI

Révision grammaticale: Le subjonctif.
Verbes: *boire, conclure.*

Donnez la forme correcte des verbes entre parenthèses:

1. Quoiqu'il lui —— (*rester*) à peine une goutte de sang, il ne s'en portait pas mieux pour cela.
2. Quand le terme fatal de nos jours est arrivé, il faut que nous —— (*se préparer*) à partir pour l'autre monde.
3. Jacinte craignait encore plus que moi qu'il ne —— (*mourir*) sans tester.
4. J'entrai dans la maison du premier notaire dont on me —— (*indiquer*) la demeure.
5. Il est juste que nous —— (*récompenser*) ceux qui nous servent bien.
6. Nous avons grand'peur que le chanoine ne —— (*mourir*) en testant.
7. Ils crurent d'abord que le chanoine ne —— (*avoir*) point fait de testament.
8. Il faut avouer que je le —— (*mériter*) bien.
9. Devant Dieu —— (*être*) son âme !
10. J'ignorais qu'il y en —— (*avoir*) dans la maison.
11. Je savais qu'il y —— (*avoir*) quelques papiers sur deux petits ais.
12. J'examinai mon legs avec plus d'attention qu'il n'en —— (*mériter*).

CHAPITRE XXII

Révision grammaticale: La préposition.
Verbes: *assaillir, courir.*

Remplacez les tirets par des prépositions, s'il en faut; faites tous les autres changements nécessaires:

1. J'allai —— Madrid.
2. Nous fûmes surpris —— nous revoir.
3. Je vous conjure —— lui parler —— ma faveur.
4. Il a composé je ne sais combien —— homélies.
5. Je m'étais préparé —— mon mieux —— paraître —— le prélat.
6. Y a-t-il moyen —— lui parler ?
7. — Attendez, me dit-il —— un air sec.
8. Elle vous donnera —— passant un moment —— audience.
9. Je m'armai —— patience.
10. Ils commencèrent —— m'examiner —— la tête —— les pieds.
11. Ils se regardèrent —— souriant —— la liberté que j'avais prise —— me mêler —— leur entretien.
12. Ils quittèrent leur maintien insolent —— prendre un air respectueux.
13. Il avait —— le marché les jambes fort tournées —— dedans.
14. Il ne lui restait qu'un toupet —— cheveux —— derrière.
15. Il me demanda —— un ton —— voix plein —— douceur ce que je souhaitais.
16. Il ne me donna pas le temps —— lui en dire davantage.
17. Vous n'avez que —— demeurer ici.
18. Ils vinrent —— la rechercher.
19. Ils mouraient —— envie —— le savoir.
20. Monseigneur ne tarda guère —— revenir.
21. Il me fit —— entrer —— son cabinet —— m'entretenir —— particulier.
22. Il m'interrogea —— les humanités.
23. Il me trouva là-dessus ferré —— glace.
24. Je suis content —— votre main.
25. Je remercierai mon neveu —— m'avoir donné un garçon si instruit.

Traduisez:

1. Without deigning to answer me.
2. He went out after listening to some ecclesiastics.

CHAPITRE XXIII

RÉVISION GRAMMATICALE: Les pronoms relatifs.
VERBES: *fuir, résoudre.*

Remplacez les tirets par les pronoms relatifs convenables:

1. J'étais allé chercher mes hardes, après —— j'étais revenu souper à l'archevêché.
2. Je retournai à l'hôtellerie —— j'étais logé.
3. N'avez-vous rien trouvé —— vous ait choqué?
4. Il répéta une homélie —— il devait prononcer le lendemain.
5. Il ne se contenta pas de me demander —— j'en pensais en général.
6. Il m'obligea de lui dire les endroits —— m'avaient le plus frappé.
7. —— Oui, mon enfant, reprit l'archevêque, —— mon action avait interrompu le discours.
8. Écoute avec attention —— je vais te dire.
9. Je vous regarde comme un autre cardinal Ximénès, —— le génie semblait recevoir de nouvelles forces avec les années.
10. Tu perdrais avec mon amitié la fortune —— je t'ai promise.

CHAPITRE XXIV

RÉVISION GRAMMATICALE: La négation.

Traduisez en français:

1. You must not only warn him but also get ahead of his friends. 2. I am afraid he will be too frank. 3. I was no longer embarrassed except by one thing. 4. His last speech had not

touched his listeners. 5. I seem to be failing, don't I ? 6. I
am only obeying Your Grace. 7. He does not like it at all.
8. Let's not talk about it any longer. 9. I have never com-
posed a better homily than that one. 10. My mind has lost
none of its vigor. 11. I was not so foolish as to do nothing
about it. 13. I did not speak to anyone.

CHAPITRE XXV

Révision grammaticale: Les pronoms interrogatifs; le style
indirect.

Traduisez:

1. Who is the author of it ? 2. He asked who was the author
of it. 3. Whom have you seen ? 4. They wanted to know
whom I had seen. 5. What amuses you ? 6. I asked him
what amused him. 7. What does he want ? 8. I told them
what I wanted. 9. What do your duties consist of ? 10. He is
going to inform me what my duties will consist of.

CHAPITRE XXVI

Révision grammaticale: La préposition.

Remplacez les tirets par des prépositions, s'il en faut:

1. Je donnai le premier mois —— avance.
2. Je m'occupai —— continuer ce que j'avais commencé.
3. Ils mettaient au net ce que le duc leur apportait —— copier.
4. —— mieux gagner leur amitié, je les entraînai —— mon
   traiteur.
5. Comment faites-vous donc —— vivre ?
6. Elle les logeait et nourrissait —— cent pistoles chacun ——
   année.
7. Je résolus —— bien ménager ma bourse.
8. Je commençai —— me repentir —— avoir amené là ces
secrétaires.

9. J'enrageais —— l'avoir loué.
10. J'eus beau —— me coucher dans un bon lit; mon inquiétude m'empêcha —— dormir.
11. Je veux —— te mettre —— ma confidence —— te découvrant un dessein que je médite.
12. Tu me rapporteras tout ce qu'il aura —— me faire savoir.
13. Il est impossible que je ne sois pas bientôt comblé —— richesses.
14. Les deux secrétaires ne furent pas des derniers —— me complimenter —— ma prochaine grandeur.
15. Ils m'invitèrent —— souper —— m'engager —— leur rendre service.
16. Il y allait trois fois —— jour.
17. Le roi fut curieux —— en voir un échantillon.
18. Le duc me dit —— lire le premier mémoire.
19. Elle eut la bonté —— témoigner qu'elle était contente —— moi.
20. Le roi recommanda —— son ministre —— avoir soin —— ma fortune.
21. J'eus les plus belles espérances —— le monde.
22. J'étais trop fier —— lui découvrir mes besoins.
23. J'avais été obligé —— vendre mes hardes.
24. Je vais —— vous le dire.

CHAPITRE XXVII

Révision grammaticale: Emploi des temps; verbes qui se conjuguent avec *être;* accord du participe passé.

Écrivez dans la forme convenable les verbes indiqués; n'employez pas le passé défini:

1. Je —— (*se déterminer*) à découvrir ma misère au duc, si j'en —— (*trouver*) l'occasion.
2. Elle —— (*s'offrir*) à l'Escurial, où le roi et le prince —— (*aller*) quelques jours après.

3. Son Excellence ne —— (*haïr*) pas les bagatelles.
4. Il y avait plus d'une heure que je la —— (*réjouir*) par toutes sortes de saillies, quand deux pies —— (*venir*) se poser sur des arbres qui nous —— (*couvrir*) de leur ombrage.
5. Un derviche me —— (*enseigner*) la langue des oiseaux.
6. Si vous le —— (*souhaiter*), je —— (*écouter*) ceux-ci et je vous —— (*répéter*) mot pour mot ce que je leur —— (*avoir*) entendu dire.
7. Il a dessein de lui donner un jour un emploi considérable, mais avant ce temps-là Zéangir —— (*mourir*) de faim.
8. Quand des personnes riches et généreuses te —— (*prier*) de leur rendre service, tu pourras me parler en leur faveur.

CHAPITRE XXVIII

Révision grammaticale: L'impératif et le subjonctif.

Traduisez:

1. It is unusual that a beggar should pass from poverty to opulence. 2. The first one who presented himself was a devout-looking lad. 3. I needed a rascal who was industrious. 4. It seems to me I hear a reader saying: " Feather your nest ! " 5. Let's listen to him. 6. Be guided by (*se régler sur*) that. 7. The minister approved of my servants' wearing his livery. 8. He almost believed himself a near relative of the duke.

CHAPITRE XXIX

Révision grammaticale: Le subjonctif (suite).

Remplacez les tirets par la forme convenable du verbe indiqué :

1. Il faut auparavant que je la lui —— (*faire*) agréer.
2. Il me semble que je —— (*devoir*) avoir des vues plus élevées.
3. Savez-vous bien que l'héritière —— (*être*) un parti de cent mille ducats pour le moins ?
4. Vous aurez sa fille pourvu que vous lui —— (*faire*) voir que vous —— (*posséder*) les bonnes grâces du ministre.

5. Il sera bon que vous —— (*s'observer*) un peu devant lui.
6. Qu'il —— (*venir*) !
7. Gabriela, quoi que m'en —— (*dire*) mon secrétaire, ne me parut pas désagréable.
8. Elle me parut belle, soit qu'elle —— (*être*) extrêmement parée, soit que je ne la —— (*regarder*) qu'au travers de la dot.
9. Il y a, je crois, moins d'argent dans les mines du Pérou qu'il n'y en —— (*avoir*) dans cette maison-là.

CHAPITRE XXX

RÉVISION GÉNÉRALE DE LA GRAMMAIRE.

Traduisez:

1. Scipio asked him whether he was satisfied with me.
2. We all have our faults. Tell me your master's. 3. Tell him that I should give her to him even if he were not favored by the minister. 4. I introduced myself to him. 5. He was so happy about it that he had tears in his eyes. 6. I pleased all the relatives, to whose commonplace talk I listened without growing impatient. 7. There was not one of them who did not seem to approve of the match. 8. I set out toward my mansion. 9. Scarcely was I a hundred paces from the house when about fifteen men, some on foot and some mounted, surrounded my carriage. 10. I told him that perhaps he was mistaken. 11. You are the one I am ordered to take where I am taking you. 12. I made up my mind to keep quiet.

CHAPITRE XXXI

RÉVISION GÉNÉRALE DE LA GRAMMAIRE.

Traduisez:

1. I spent the night seeking in my mind what could have caused my misfortune.

2. The door of my cell opened and there entered a man carrying a candle.
3. I am expressly ordered not to let you speak to anyone.
4. Stand up and come with me.
5. You will be brought something to eat.
6. I asked him if he knew the reason for my misfortune.
7. The king has just exiled the Count of Lemos.
8. He saw that we had everything we needed.
9. We got up from the table after finishing our supper.
10. When his anger has passed, you will seem to him sufficiently punished.
11. The most distressing thought to me was the pillage to which I imagined all my belongings had been abandoned.
12. You will be doing a charitable deed if you allow me to see him.
13. He could not do me any greater favor than to bring the young man to me.
14. I did not doubt that it was he.
15. I extended my arms to him and he clasped me in his.
16. You no longer have any house.
17. Salero will give them to you when you leave this tower.
18. It seems to me that I ought to write to the minister.
19. I am of the opinion that you should write him a letter.
20. I promise you to deliver it to him personally.

CHAPITRE XXXII

RÉVISION GÉNÉRALE DE LA GRAMMAIRE ET DES VERBES.

Traduisez:

1. I despatched my messenger to the minister. 2. The latter opened my letter and glanced through it. 3. The duke answered him by turning his back to him. 4. He introduced them to me. 5. I expected to die. 6. I intended, if ever I should get out of prison, to buy a cottage and to go and lead

the life of a philosopher there. 7. Would to heaven that we were there already! 8. The doors of this prison are open to you on two conditions. 9. You are forbidden to appear at court. 10. When we are very hungry, we shall eat a piece of bread.

CHAPITRE XXXIII

RÉVISION GÉNÉRALE DE LA GRAMMAIRE ET DES VERBES.

Traduisez:

1. The first thing we did was to go to Salero's house. 2. He had married his daughter to a wealthy merchant. 3. Please have the kindness to hand over to me my two thousand pistoles. 4. What are you doing in Madrid? I thought you were in Granada. 5. Since you intend to live in the country, I shall give you a little estate. 6. I asked him what this service was. 7. They told me that the property was no longer theirs and that I could go and take possession of it when I pleased. 8. I told him in what way I had just made the acquisition. 9. What pleases me most is that we shall have good game there and excellent wines. 10. Heaven would punish me if I failed in it. 11. Let's not lose any time. 12. Let us leave as soon as possible.

NOTES

Page 1. — **Blas;** the s is pronounced.

15. — **n'eut pas ... que,** *had no sooner ... than.*

Page 2. — 13. **Horace,** Latin poet (64–8 B.C.). The quotation is from his *Ars poetica:* " Omne tulit punctum, qui miscuit utile dulci ... "

Page 3. — 9. **si je n'eusse pas eu,** *if I had not had.* The use of the pluperfect subjunctive for the pluperfect indicative or perfect conditional (conditional anterior) is quite common in literary style.

Page 4. — 5. **c'eût été,** *it would have been.* See preceding note.

Page 5. — 6–7. **à vivre en honnête homme;** literally, *to live as an honest man,* i.e., *to live honestly.* **En** here has the force of *as* plus the indefinite article.

Page 7. — 7–8. **Je n'eus pas mis pied à terre que;** see note to page 1, line 15.

Page 8. — 17–18. **la mule du pape;** a play on words, *the pope's mule* or *the pope's slipper,* which the faithful kissed; hence, something very highly prized.

Page 10. — 8–9. **la huitième merveille du monde;** an allusion to the seven wonders of the world: the sepulcher of Mausolus at Halicarnassus, the pyramid of Cheops, the lighthouse of Alexandria, the Colossus of Rhodes, the hanging gardens of Semiramis in Babylon, the statue of Jupiter Olympus at Olympus, and the temple of Diana at Ephesus.

25. **sept sages;** the " Seven Sages " of Greece were: Thales of Miletus, Pittacus, Bias of Priene, Cleobulus, Myson, Chilon, and Solon.

27. **Pour peu que j'eusse eu d'expérience,** *If I had had the slightest experience.*

Page 27. — 19. **nous attendions que,** *we waited until; jusqu'à ce* is commonly omitted after **attendre.**

Page 34. — 4. **et qu'elle se vit,** *and when she saw herself.* **Que** is used to avoid repetition of the conjunction.

Page 38. — 31–32. **j'avais résolu ... maux,** *I had resolved to cure him radically of all his ills,* i.e., *I had resolved to kill him.*

Page 40. — 7. **Nous arrivons,** etc.; the present tense is used for vivid description.

Page 41. — 20. **saint Jacques,** *Saint James,* patron saint of Spain.

Page 55. — 5. **toute confuse;** the adverb **tout** is variable only before a feminine adjective beginning with a consonant or aspirate **h.**

Page 57. — 28. **Un homme d'esprit est-il,** *If a clever man is ...* Note the inversion for the sake of emphasis. The construction is not a common one.

Page 66. — 3. **un Hippocrate,** *a very skillful doctor.* Hippocrates, a Greek, was the most renowned doctor of antiquity.

Page 67. — 2. **et que vous,** *and if you;* see note to page 34, line 4. **Que** used for **si** requires the subjunctive.

Page 79. — 15. **Ximénès;** cardinal and a minister of Spain, a great statesman (1436–1517).

Page 83. — 11. **le duc de Lerme,** *the Duke of Lerma,* a cardinal, minister of King Philip III of Spain (1555–1625).

Page 84. — 5. **des chevaliers de Saint-Jacques et de Calatrava;** the military order of Saint James was founded in Castile to assist the poor, to defend pilgrims, and to make war on the Mussulmans (1164). The military and religious order of Calatrava was founded in the town of that name (New Castile) in 1158.

Page 92. — 6. **l'Escurial,** *the Escurial,* a palace and monastery built by Philip II in the town of that name, about thirty miles from Madrid (1562–1584).

Page 99. — 7. **Isocrate,** *Isocrates,* an Athenian orator who strove to unite Greece; he deliberately starved to death after the defeat of the Greeks at Chæronea (436–338 B.C.).

Page 101. — 18. **les mines du Pérou;** after the discovery of America, Peru became synonymous with fabulous riches because of its important gold and silver mines.

VOCABULARY

1. Articles, pronouns, common prepositions, and words that are identical in French and English, are generally omitted from this Vocabulary.

2. ABBREVIATIONS: — *adj.* adjective; *adv.* adverb; *f.* feminine; **h.* aspirate *h*; *m.* masculine; *n.* noun; *pl.* plural; *p.p.* past participle; *pron.* pronoun.

A

abaisser to lower, diminish

abandonner to abandon, leave, give up; **s'—**, abandon oneself

abattre to discourage, dishearten; **s'—**, fall

un **abîme** abyss

abondamment abundantly

l'**abondance** *f.* abundance, wealth

d'**abord** at first, first

aborder to accost, address

abréger to abridge, shorten

abreuver to water

un **abri** shelter, refuge; **à l'—**, under shelter, under cover

absolu, –e absolute; **—ment** absolutely

abuser to take advantage, impose upon

l'**accablement** *m.* prostration, depression

accabler to overwhelm, prostrate

un **accent** accent, tone

accepter to accept

une **acclamation** acclamation

une **accolade** embrace

accommoder to prepare; **s'—**, be pleased *or* satisfied

accompagner to accompany

accomplir to accomplish, fulfill

accorder to grant; reconcile

accoutumer to accustom; **s'—**, become accustomed

accrocher to pick up; stop

s'**accroître** to increase

un **accueil** greeting, reception

une **accusation** accusation

acheter to buy

achever to finish, finish speaking

acquérir to acquire

une **acquisition** acquisition

s'**acquitter** to pay a debt, fulfill one's duty, execute

un **acte** deed, will

une **action** action, act, military engagement

l'**activité** *f.* activity, promptness

adieu farewell

un **administrateur** director

un **admirateur** admirer

admirer to admire

adoucir to soften, allay, lessen

l'**adresse** *f.* skill, dexterity

adresser to address, send; — **la parole** speak; **s'**—, address, turn

affaiblir to weaken; **s'**—, grow weak

une **affaire** affair, matter, business, lawsuit, skirmish; **une — d'honneur** duel; **j'en fais mon** —, I'll attend to it; **se tirer d'**—, to get along, get out of trouble; **être hors d'**—, be out of trouble *or* danger

affamé, -e avid, thirsting

affecter to affect, touch, pretend

l'**affection** *f.* affection, fondness

afficher to post, publish

affligé, -e afflicted, grieved, dejected

affligeant, -e distressing, grievous

affliger to afflict, grieve

affranchir to free, liberate

affr-eux, -euse frightful

l'**âge** *m.* age, old age

agir to act; **s'**—, be a question

agiter to agitate, shake; **s'**—, move about, toss about

l'**agonie** *f.* agony, the pangs of death, death struggle

agréable agreeable, pleasant; —**ment** agreeably

agréer to receive, accept, approve of

un **agrément** pleasure, diversion, comfort

l'**aide** *f.* aid, help, assistance

l'**aigreur** *f.* sharpness, harshness

aigu, aiguë acute, sharp, violent

ailleurs elsewhere; **d'**—, besides

aimable amiable, agreeable, kind

aimer to love, like; — **mieux** prefer

aîné, -e elder, eldest

ainsi thus, so

l'**air** *m.* air, look, appearance, manner, tune

un **ais** plank, shelf

l'**aise** *f.* ease, contentment, comfort; **à l'**—, easily, comfortably; *adj.* glad

aisé, -e easy

ajouter to add

l'**alarme** *f.* alarm

alarmer to alarm, frighten

Alicante *Spanish seaport, on the Mediterranean*

l'**aliment** *m.* food

une **allée** passage, lane, walk

aller to go; **allons!** come now! **il y va de ton intérêt** it is to your interest; **s'en** —, go away

une **alliance** alliance, marriage

allumer to light, kindle

alors then

un **alphabet** alphabet, primer

alphabétique alphabetical

altéré, -e thirsty

altérer to change, weaken

une **amande** almond

ambiti-eux, -euse ambi-

tious; *n.* an ambitious
person

l'**âme** *f.* soul, heart

amener to lead, bring,
bring about

amèrement bitterly

un **ami**, une **amie** friend;
adj. friendly, dear

l'**amitié** *f.* friendship

l'**amour-propre** *m.* vanity,
conceit

ample ample, detailed

un **an** year

les **ancêtres** *m. pl.* ancestors

ancien, –ne ancient, old;
former

une **année** year

annoncer to announce

une **antichambre** antechamber

anticipé, –e anticipated,
premature

apaiser to appease, pacify;
s'—, grow calm, abate,
subside

apercevoir to catch sight
of, see; **s'—,** notice

un **apologue** apologue, moral
fable

l'**apoplexie** *f.* apoplexy

apostropher to apostro-
phize, denounce

apparemment apparently

une **apparence** appearance, air

une **apparition** apparition, appearance

un **appartement** apartment

appartenir to belong, be in
the service of

appeler to call, name;
s'—, be called *or* named

l'**appétit** *m.* appetite; l'**—**
vient en mangeant *proverb* " much wants more "

applaudir to applaud, approve of; **s'—,** congratulate oneself, glory in

l'**applaudissement** *m.* ap-
plause, praise

appliquer to apply, put;
s'—, apply oneself

les **appointements** *m. pl.* salary

apporter to bring

apprendre to learn, find
out, tell, teach

un **apprentissage** apprentice-
ship

apprêter to prepare

s'approcher to approach

approuver to approve of,
praise

l'**appui** *m.* support, help,
protection

appuyer to support

âpre greedy, avid

après after, afterwards,
later; **— que** after

l'**après-midi** *m. & f.* afternoon

un **arbitre** umpire, judge

un **arbre** tree

un **archer** archer, constable

un **archevêché** archbishopric,
archbishop's residence

un **archevêque** archbishop

l'**ardeur** *f.* ardor, zeal

l'**argent** *m.* money

l'**argenterie** *f.* silverware,
flat silver

un **argument** argument, dispute

une **arme** arm, weapon

une **armée** army

armer to arm, fortify

les **armoiries** *f. pl.* coat-of-
arms

arracher to tear, snatch
arrêter to arrest, stop, engage, hire; **s'—**, stop
l'**arrivée** f. arrival
arriver to arrive, happen; **— à** reach
l'**art** m. art, skill
un **article** article, item
un **asile** asylum, refuge
aspirer to aspire
assassiner to assassinate, murder
s'**assembler** to assemble, meet
s'**asseoir** to seat oneself, sit down
assez enough, rather
un **associé** associate, partner
assurer to assure, guarantee, affirm; **s'— de** secure, engage
Astorga *one of the oldest towns in Spain* (*Leon*)
les **Asturies** f. pl. Asturia (*province in northern Spain*)
attacher to attach, tie; **s'— à** become attached to, attach oneself to, turn one's attention to
une **attaque** attack
attaquer to attack
une **atteinte** blow, shock, harm, damage
attendre to wait, wait for, expect
attendrir to soften, move, affect
l'**attente** f. waiting, expectation
l'**attention** f. attention, care, consideration
attentivement attentively

une **attestation** attestation, voucher
attester to witness, bear witness, testify, call to witness
attirer to attract, call forth
attribuer to attribute, impute
une **aubaine** stroke of luck, strike, fine haul
une **auberge** inn
aucun, –e any; **ne ... —**, not any, no
l'**audace** f. boldness, courage
une **audience** hearing, audience
un **auditeur** hearer, listener
un **auditoire** audience, listeners, congregation
augmenter to increase
un **augure** presage, omen
augurer to augur, surmise
aujourd'hui today, nowadays
auparavant before
auprès near
l'**aurore** f. dawn, daybreak
aussi also, so, therefore; **— ... que** as ... as, such ... as
aussitôt immediately; **— que** as soon as
autant as much, as many; **en faire —**, to do likewise
un **autel** altar
un **auteur** author
l'**autorité** f. authority
autour around
autre other, different, another

autrefois formerly

autrement otherwise

autrui others

avaler to swallow

d'**avance** beforehand, in advance

avancer to advance, make progress, thrive, assert; **s'—**, advance, be successful

avant before; **— de** before; **— que** before; **plus —**, more and more, still further

un **avantage** advantage

avantageusement advantageously, favorably

une **aventure** adventure, experience

un **aventurier** adventurer

une **aventurière** adventuress

l'**aversion** *f.* aversion, dislike

avertir to inform, warn

un **avertissement** warning

l'**aveuglement** *m.* blindness

aveuglément blindly, implicitly

avide avid, greedy, voracious

l'**avidité** *f.* avidity, cupidity

un **avis** opinion, advice, piece of advice, warning; **être d'—**, to be of the opinion, be inclined

s'**aviser** to take it into one's head

avoir to have; **il y a** there is, there are, ago; **il y a . . . que** since, for

avouer to avow, acknowledge, confess

B

le **babil** prattle, chatter

un **babillard** talkative person, chatterbox

une **bagatelle** trifle

une **bague** ring

baigner to bathe

une **baïonnette** bayonet

baiser to kiss

baisser to lower, let down, sink, fail

balancer to hesitate

bannir to banish

barbare barbarous, uncouth, incorrect

un **barbier** barber

un **barreau** bar

bas,-se *adj.* low, very ill; *adv.* low, in a low voice

un **bas** stocking; *pl.* hose

une **bataille** battle; **en —**, in battle array

un **bâton** stick

battre to beat, strike; **se —**, fight

beau (bel), belle beautiful, handsome, fine, great; **j'avais — regarder** it was useless for me to look, I looked in vain

beaucoup much, very much, a great deal, many

un **beau-père** father-in-law

la **beauté** beauty

une **bénédiction** blessing

un **bénéfice** benefice, privilege

bénir to bless, thank

le **besoin** need; **avoir — de** to need

une **bête** beast, animal

une **bibliothèque** library, book-case

bien well, indeed, very, much, quite, at least; **être** —, to be well off, be comfortably fixed; **si** — **que** so that; **eh** —, well; **ou** —, or else

le **bien** good, estate, wealth, fortune, money

un **bienfait** benefit, favor, gift

bientôt soon

la **bienveillance** good will, kindness

bienvenu, –e welcome; **soyez le** —, you are very welcome

biffer to strike out, delete

bis, –e brown; **du pain** —, brown bread

une **bisque** bisque, rich soup

bizarre strange, queer

un **blasphème** curse, blasphemy

blasphémer to blaspheme

un **bœuf** (*the* f *is silent in the plural*) ox

boire to drink

le **bois** wood, woods

la **boisson** drink

bon, –ne good, full

un **bond** bound

le **bonheur** happiness, good luck; **par** —, luckily

un **bonhomme** simple, good-natured man; old fellow

le **bonsoir** good evening

la **bonté** bounty, goodness, kindness; **ayez la** — **de** be so good as to; **avoir mille** —**s pour** to be very kind to

un **bord** edge, border

border to border, line

une **borne** boundary, limit

borné, –e limited, narrow; **l'intelligence** —**e** ignorance, stupidity

borner to limit, restrict

une **botte** boot; **mettre du foin dans ses** —**s** to feather one's nest

une **bottine** half-boot

boucher to cork, stop

un **bouchon** cork; tavern; **faire valoir le** —, to make the tavern pay

une **bougie** candle

un **bourg** (*pronounced* **bour**) country town, market town

un **bourgeois,** une **bourgeoise** middle-class man *or* woman; **une petite** —**e** woman of the lower middle class; *adj.* commonplace

un **bourreau** executioner, tormentor

la **bourse** purse, money

le **bout** end; **venir à** — **de** to succeed in, accomplish

une **bouteille** bottle

branler to move, budge

un **bras** arm

un **brasier** fire of glowing coals

braver to brave, defy

bref, brève brief, prompt

un **bréviaire** breviary, book of hours

une **bride** bridle

brider to bridle, curb

un **brigand** brigand, highwayman

brillant, –e brilliant

briller to shine, cut a figure

une **broche** spit

broder to embroider

la **broderie** embroidery

les **broussailles** *f. pl.* brambles, briars

un **bruit** noise, rumor

brûlant, –e burning, hot

brûler to burn

brusque sharp, sudden, unexpected; **—ment** suddenly, quickly, promptly, roughly

brutalement brutally

bruyant, –e loud, noisy

une **bruyère** heath

un **buffet** buffet, sideboard

un **buisson** bush, thicket

un **bureau** office

Burgos *name of a city and province in northern Spain*

le **butin** booty

C

çà here; **or —,** now then

une **cabane** cabin

un **cabinet** study, cabinet

Cacabelos *town in northwestern Spain*

Cachemirien a native of Cashmere (*India*)

cacher to hide, conceal; **se —,** hide, hide oneself

un **cachot** dungeon, cell

une **cage** cage

cagn–eux, –euse knock-kneed

une **caille** quail

un **camarade** comrade, companion

la **campagne** country, countryside, campaign; **se mettre en —,** to set to work

la **cannelle** cinnamon

un **canonicat** canonship, prebend

la **capacité** capacity, intelligence, ability

un **capitaine** captain

un **caprice** caprice, whim

car for

une **carabine** carbine

le **caractère** character, calling; humor

un **cardinal** cardinal

un **carreau** cushion, hassock

la **carrière** career; **être très avancé dans sa —,** to be very old

un **carrosse** coach

une **carte** card

un **cas** case, event

casser to break; **— la tête d'un coup de pistolet** blow someone's brains out

castillan, –e Castilian, Spanish

la **Castille** Castile

la **Catalogne** Catalonia

une **cathédrale** cathedral

une **cause** cause, reason

causer to cause, chat

un **cavalier** mounted soldier, horseman

une **cave** cellar, vault

un **caveau** small cellar, vault

céder to yield

célèbre famous, illustrious

la **cendre** ashes; **réduire en —s** to burn to the ground

un **censeur** censor, critic

la **censure** censure, criticism
cent hundred
cependant however; meanwhile
une **cérémonie** ceremony
certain, –e certain, sure
certes indeed, certainly
cesse *f.* ceasing; **sans —**, continually
cesser to cease, stop
le **chagrin** sorrow, grief
une **chaise** chair; **une — de poste** post-chaise
une **chambre** room, bedroom
un **chamois** chamois
un **champ** field; **un — de bataille** battlefield; **laisser le — libre** to leave a clear field; **sur-le-—**, immediately
une **chandelle** candle
changer to change
un **chanoine** canon (*Church dignitary*)
chanter to sing
un **chantre** choir-boy
un **chapeau** hat
un **chapitre** chapter
chaque each, every
une **charge** office, duty, burden; **être à — à** to be a burden to; **revenir à la —**, make a new attempt
charger to charge, load, entrust, command; **se — de** take charge of, take care of
charitable charitable
la **charité** charity, alms
un **charlatan** charlatan, quack, empiric
charmant, –e charming
le **charme** charm

charmer to charm
un **chartreux** Carthusian monk
la **chasse** hunt, hunting
chasser to chase, hunt, drive away, discharge
un **château** castle
un **châtelain** castellan, owner (*of a castle*), governor (*of a prison*)
chaud, –e warm, hot, heated, lively
chauffer to heat, warm
une **chaumière** peasant's cottage, thatched cottage
chauve bald
un **chef** chief, leader
un **chef-d'œuvre** (*the* **f** *is silent*) masterpiece
un **chemin** road, path; **être en beau —**, to be on the right path, be on the road to success; **le grand —**, highway; **en —**, on the way; **— faisant** while going along
une **chemise** shirt
cher, chère dear, expensive
chercher to seek, look for; **aller —**, go for; **— à** seek to, strive to
la **chère** cheer, fare; **faire bonne —**, to eat well; **faire mauvaise —**, eat poorly
chérir to cherish, favor
un **cheval** horse; **à —**, on horseback
la **chevalerie** knighthood, chivalry
un **chevalier** knight
un **cheveu** hair
chez at, to *or* in the house of; in the works of

un **chirurgien** surgeon
choisir to choose
un **choix** choice; **faire — de** to choose
choquer to shock, displease
une **chose** thing
le **ciel** sky, heaven; **—!** heavens!
un **cimetière** cemetery
une **cinquantaine** about fifty
une **circonstance** circumstance, conjuncture
citer to cite, mention, quote
civilement politely
la **civilité** civility, courtesy, politeness
clair, **–e** clear, plain; pure
une **clef** (*pronounced* **clé**) key
le **clergé** clergy
le **clinquant** false glitter
un **cocher** coachman
le **cœur** heart, courage; **le bon —**, kindness, goodness; **de tout son —**, heartily; **à — ouvert** frankly, confidentially
un **coffre-fort** strong-box
coiffé, **–e** covered with a caul; **être né —**, to have been born lucky
la **colère** anger; **se mettre en —**, to become angry
la **colique** colic
une **colline** hill, hillock
Colmenar *a small town between Madrid and Segovia*
combien how much, how many, how
le **comble** heaping, full measure, height; **mettre le — à** to complete

combler to fill up, load, overwhelm
une **comédie** comedy
une **commande** order; **des pleurs de —,** crocodile tears
commander to order, be in command
comme as, like, how
commencer to begin
un **commensal** table-companion
comment how; **—!** what!
commettre to commit
un **commis** clerk
une **commission** commission, mission, errand
commodément comfortably
une **commodité** convenience, comfort
une **communication** passageway
communiquer to communicate, announce
une **compagne** female companion, friend
une **compagnie** company, society, band; **fausser —,** to escape
un **compagnon** companion, comrade, friend
une **comparaison** comparison; **en — de** compared with
un **compatriote** fellow countryman, fellow citizen
la **complaisance** complaisance, politeness
complaisant, **–e** obliging
une **complexion** constitution
complice *n. m. & f.* accomplice, accessory
un **compliment** compliment

complimenter to compliment, congratulate

composer to compose, create, make

la **composition** composition

une **compote** stewed fruit

comprendre to understand, realize

un **compte** account, reckoning, score, profit; **rendre** —, to give an account, give an explanation, recount, report; **tenir** —, credit

compter to count, pay; — **sur** count on, depend on

un **comte** count

un **concert** concert

concevoir to conceive, form

un **concierge** keeper, jailer

concis, –e concise

conclure to conclude

condamner to condemn, give up hope for

la **condition** condition, state, reserve, position; **se mettre en** —, to take a place as servant

un **conducteur** leader, driver

conduire to conduct, lead, drive; **se** —, conduct oneself, act

conférer to confer, grant

confesser to confess

la **confiance** confidence, trust; **un homme de** —, confidential man, right-hand man

une **confidence** secret, disclosure

un **confident** confidant, favorite

confier to confide, entrust, tell in confidence

confirmer to confirm, corroborate

un **confrère** colleague

confus, –e disconcerted, dim, vague

la **confusion** confusion, embarrassment

un **congé** leave; **prendre** —, to take leave

congédier to send away, discharge

une **conjoncture** conjuncture, situation, juncture

conjurer to conjure, beg

la **connaissance** knowledge, acquaintance; **faire** —, to make the acquaintance, become acquainted

un **connaisseur** expert, good judge

connaître to know; **se** — **en** or **à** be a good judge of

la **conscience** conscience; **en** —, conscientiously

le **conseil** counsel, advice, piece of advice, council

conseiller to counsel, advise

la **conséquence** consequence, importance, conclusion

conséquent, –e consistent; **par** —, consequently, therefore

la **conservation** preservation

conserver to preserve, keep; **se** —, be well preserved, carry one's years well

considérable considerable, important

considérer to consider, gaze at, value, esteem

consister to consist

consoler to console

consommer to consummate, accomplish, complete

consulter to consult

consumer to consume, destroy, waste; **se —,** waste away

un **conte** story, tale, fable

la **contenance** countenance, face, bearing, appearance

contenir to contain

content, . —e satisfied, pleased, glad

contenter to content, satisfy, please; **se — de** content oneself with, be satisfied with

conter to tell, recount

continuer to continue

une **contorsion** contortion, grimace

contraindre to constrain, oblige; **se —,** restrain oneself, refrain

contraire contrary, opposite; **au —,** on the contrary

contrarier to contradict, thwart, oppose

un **contrat** contract

contre against

contredire to contradict, gainsay

contrefaire to imitate, play the part of

convenable proper, suitable

convenir to agree, suit

une **convention** agreement

une **conversation** conversation

une **conversion** conversion

convertir to convert, change, transform

un **convive** guest

copier to copy

copi—eux, —euse copious, bounteous, abundant

un **copiste** copyist

un **corbeau** crow, raven

une **corde** cord, rope

la **cordialité** cordiality

un **corps** body, profession

une **côte** rib; coast

un **côté** side; **à — de** beside; **du — de** toward

le **cou** neck

coucher to lay down, put to bed; lie down, sleep; **se —,** lie down, go to bed; **— en joue** aim at

un **coup** blow, shock, shot; drink; affair, deed, trick; **un — de dent** bite; **un — d'essai** first attempt; **un — de maître** master stroke; **un — d'œil** glance; **un — de pied** kick; **un — de poing** blow; **tout à —,** suddenly; **tout d'un —,** all of a sudden

coupable guilty

une **coupe** cup

couper to cut, intersect

une **cour** court, courtyard, yard

courag—eux, —euse courageous, brave

couramment fluently

courir to run, travel through

un **courrier** messenger

le **cours** course, flow
une **course** trip, expedition
court, –e short
le **courtage** brokerage, broker's commission
un **courtisan** courtier; **une phrase de —,** flattering remark
un **cousin,** une **cousine** cousin; **des —s germains** first cousins
un **coussin** cushion
un **couteau** knife
coûter to cost
une **coutume** custom; **avoir — de** to be in the habit of
un **couvent** convent
un **couvert** cover, place at table; **apporter un —,** to set a place; **mettre le —,** set the table
couvrir to cover
craindre to fear
la **crainte** fear
une **créature** creature, person
le **crédit** credit, influence; **faire —,** to extend credit
la **crédulité** credulity
creuser to dig
un **cri** cry, call
crier to cry out, call, exclaim
un **crime** crime
un **criminel** criminal
critique critical
critiquer to criticize, find fault with
croasser to croak, caw
croire to believe, think
croisé, –e crossed
la **croupe** croup (*of an animal*); **monter en —,** to ride behind someone

une **cruche** pitcher
le **cuir** leather
cuire to cook, boil
une **cuisine** kitchen, cooking
un **cuisinier,** une **cuisinière** cook
le **cuivre** copper
cultiver to cultivate, form
la **curée** quarry; **âpre à la —,** greedy of gain
curi–eux, –euse curious, inquisitive, inquiring, peculiar
la **curiosité** curiosity

D

daigner to deign
une **dame** lady
le **danger** danger
danger–eux, –euse dangerous
une **danse** dance
davantage more
se **débarrasser** to get rid, take off
débiter to sell
debout standing, up, upright
un **début** first appearance, beginning
débuter to begin, make one's first appearance
une **décharge** discharge, release
décharger to discharge, fire
décider to decide
décis–if, –ive decisive
déclarer to declare, state
déconcerter to disconcert
une **découverte** discovery
découvrir to discover, find, reveal, see

décrire to describe

dédaigner to disdain, scorn

dédaign-eux, -euse disdainful, scornful

dedans within, in it

dédommager to recompense, compensate

une défaillance fainting, swoon

défaire to undo, rid; se —, get rid, sell

défait, -e undone, haggard

un défaut defect, fault

défendre to defend, forbid; se — de keep from, resist

se défier to distrust, mistrust

définir to define

une définition definition

défrayer to defray, pay the expenses of

défunt, -e defunct, dead; n. dead person

dégager to disengage, free

dégoûter to disgust; se —, become disgusted

déguiser to disguise, conceal

dehors out, outside

déjà already

déjeuner to breakfast

se délasser to rest

délicat, -e delicate, feeble; dangerous, ticklish; fastidious

les délices f. pl. delight

délici-eux, -euse delicious, delightful

délier to untie, undo, open

la délivrance deliverance, liberation

délivrer to deliver, liberate, set free, release

un déluge deluge

demain tomorrow

demander to ask, ask for, demand; il ne demande pas mieux he can ask for nothing better

une démarche step, proceeding, measure

un démêlé quarrel, dispute

démêler to distinguish, unravel, find out

démentir to belie, contradict

une demeure dwelling, home

demeurer to inhabit, live, remain, stop; — d'accord agree; en — là be satisfied, stop there

demi, -e half

une démonstration demonstration

démonter to disconcert

une dent tooth; un coup de —, bite

la dentelle lace

le départ departure

dépecer to cut up, carve

dépêcher to hasten, dispatch, kill; se —, hurry

les dépens m. pl. expense

la dépense expense, expenditure

dépenser to spend

dépister to track, hunt out

. le dépit spite, vexation

déplaire to displease

déplorable deplorable

déplorer to deplore

un dépositaire depositary, confidant, trustee

une déposition deposition, evidence

un dépôt deposit, trust

la **dépouille** spoils, booty
dépouiller to despoil, rob, unclothe
depuis since, from
le **dérèglement** excess, intemperance
derni—er, —ère last, greatest
dérober to steal, conceal
derrière behind
un **derviche** dervish (*Mohammedan mendicant friar*)
dès since, from, at; **— que** as soon as
désagréable disagreeable, unpleasant; **—ment** disagreeably
le **désagrément** unpleasantness, discomfort
se **désaltérer** to quench one's thirst
descendre to go down, come down, dismount; lodge, put up (*at a hotel*); take down, bring down
désespérer to despair, drive to despair, torment; **se —**, despair
le **désespoir** despair; **mettre au —**, to drive to despair
déshabiller to undress; **se —**, undress oneself
désintéressé, —e disinterested, impartial
le **désir** desire, wish
désirer to desire, wish, want
se **désoler** to grieve, be disconsolate
le **désordre** confusion, discomposure
désormais henceforth, hereafter
dessécher to dry up

un **dessein** plan, resolution, intention; **avoir —**, to intend
desservir to clear the table
dessous below, beneath, under; **au-— de** below, beneath, inferior to
dessus above, upon; **là-—**, thereupon, upon it, about it; **mettre au-— de** to esteem more highly than
la **destinée** destiny, fate
destiner to destine, intend
détacher to untie, undo, detach, estrange, cause to give up
détailler to tell in detail
dételer to unharness
déterminer to determine, decide; **se —**, make up one's mind
un **détour** turning, winding
détromper to disabuse; **se —**, be undeceived
détrousser to plunder, rob
détruire to destroy
devant before, in front of; **aller au-— de** to go to meet
devenir to become
deviner to guess
devoir to owe, have to, be to; ought, should, must; **il aurait dû faire** he should have done
le **devoir** duty
dévorer to devour, stifle, swallow, suppress
dévot, —e devout, pious
le **diable** devil; **donner à tous les —s** to curse roundly

la **dialectique** dialectics, logic

un **diamant** diamond

dicter to dictate

la **diction** diction, style

un **dictionnaire** dictionary

Dieu *m.* God; **vive —!** *an interjection*

différent, –e different, various

difficile difficult, hard

diffus, –e diffuse, wordy, long-winded

digérer to digest, ruminate, think over

digne worthy

la **dignité** dignity, office

la **diligence** diligence, speed; **en —,** speedily

diminuer to diminish, lower

le **dîner** dinner

dîner to dine

dire to say, tell; **pour ainsi —,** so to speak; **c'est-à- —,** that is to say, that is

diriger to direct, point; **se —,** make one's way, go

le **discernement** discernment; **l'âge de —,** age of discretion

un **discours** speech, discourse

la **discrétion** discretion, reserve; **à —,** at will

une **disgrâce** misfortune

disparaître to disappear

dispenser to dispense, excuse

disposer to dispose, place, arrange, prepare; **— de** have at one's disposal, be master of; **se —,** prepare, get ready

la **disposition** disposition, order, disposal, inclination

une **dispute** dispute, discussion

dissimuler to dissemble, hide, conceal

dissiper to dissipate, dispel; **se —,** be dispelled

distinguer to distinguish; **se —,** distinguish oneself

divers, –e divers, different; *pl.* divers, various

divertir to divert, amuse; **se —,** amuse oneself, make sport of

docilement with docility, submissively

docte learned

un **docteur** doctor

un **doigt** finger; **un — de vin** a little wine

domestique *n. m. & f.* servant

le **dommage** damage, loss

un **don** gift, present

don don (*a Spanish title of nobility given to men*)

doña doña (*a Spanish title of nobility given to women*)

une **donation** deed of gift

donc therefore, so

donner to give; **— sur** fall upon

dormir to sleep

une **dot** (*the* **t** *is pronounced*) dowry

un **doublon** doubloon (*a former Spanish gold coin worth about eight dollars*)

doucement gently, softly, slowly

doucer-eux, –euse sweetish, honeyed

la **douceur** sweetness, gentleness, kindness, pleasure

la **douleur** grief, sorrow, pain; *pl.* rheumatism, neuralgia

le **doute** doubt; **sans —,** doubtless, no doubt

douter to doubt, question, suspect

doux, douce sweet, mild, gentle, agreeable, pleasant

le **drap** woolen cloth

dresser to raise; set (*a table*); draw up

une **drogue** drug, quack medicine

le **droit** right, authority, fee; **le — de courtage** commission; **se croire en — de** to think oneself privileged to

un **drôle** rascal, rogue; *adj.* amusing, funny, queer

un **duc** duke

un **ducat** ducat (*a gold coin of varying value*)

une **dupe** dupe, victim

duper to dupe, deceive

dur, –e hard, harsh, heartless

durant during

la **durée** duration

durer to last

le **duvet** down, down mattress

E

l'**eau** *f.* water

l'**eau-de-vie** *f.* brandy

éblouir to dazzle, blind

s'**écarter** to go away, stray

un **ecclésiastique** clergyman; *adj.* ecclesiastical, clerical

un **échanson** cupbearer

un **échantillon** sample

échapper to avoid, pass unnoticed, escape, flee; **s'—,** escape

échauffer to heat, excite, inflame

éclaircir to clear up, throw light on, solve

éclairé, –e enlightened

éclairer to light, illuminate, light the way for, enlighten

un **éclat** crash, burst

éclater to burst; **— de rire** burst out laughing

une **école** school

éconduire to show out, send away

écorcher to skin, flay

écouter to listen, listen to

s'**écrier** to cry out, exclaim

écrire to write

un **écrit** writing

une **écritoire** inkstand

l'**écriture** *f.* writing, handwriting

un **écrivain** writer, author

une **écurie** stable

un **écuyer** squire, gentleman-in-waiting, valet, servant

l'**éducation** *f.* education, training

effacer to efface, rub out

effectivement in fact, indeed

un **effet** effect, purpose; *pl.* belongings, things; **en —,** in fact

s'**efforcer** to strive

effrayer to frighten

l'**effroi** *m.* fright, terror

effronté, –e impudent, brazen; —ment impudently, boldly

effroyable frightful

égal, –e (m. pl. –aux) equal, even, same, like; —ement likewise

l'égard m. regard; à l'— de regarding, as for

égayer to enliven, cheer

une église church

élargir to release, set at liberty

l'élargissement m. release from prison

un élève pupil

élevé, –e high, exalted

élever to raise, bring up, educate; s'—, exalt oneself

un éloge eulogy, praise

éloigné, –e distant, far

éloigner to remove, send away, alienate; s'—, go away

éloquemment eloquently

l'éloquence f. eloquence

s'embarquer to embark, sail

l'embarras m. embarrassment, trouble, hindrance

embarrasser to embarrass, perplex, trouble

une embrassade embrace, hug

embrasser to embrace, kiss, adopt, choose

une embuscade ambuscade, ambush

emmener to lead away, take away

l'émotion f. emotion, agitation

émouvoir to move, touch

s'emparer to seize, take possession

empêcher to prevent; s'—, refrain, avoid

une emplette purchase

un emploi situation, place

employer to use, employ

empoisonner to poison

l'emportement m. passion, rage

emporter to carry away; l'— sur overcome, conquer, be superior to

empressé, –e eager, zealous

l'empressement m. eagerness, alacrity, promptness

s'empresser to be eager, hasten

l'emprisonnement m. imprisonment

emprisonner to imprison

en in, into, on, at, by, like, as a, as

enchanter to enchant, charm

encore yet, still, again, more, besides

encourager to encourage

l'encre f. ink

endormir to put to sleep, lull, deceive; s'—, go to sleep

un endroit place, point, passage

l'enfance f. childhood

un enfant child

l'enfer m. hell, place of torture

enfermer to shut in, lock up, imprison

enfiler to enter into, pass through

enfin at last, finally, in fine, in short

enflammé, –e inflamed, burning

enfoncé, –e sunken, sunk

enfoncer to sink, drive; **s'—**, penetrate, plunge

engager to engage, invite, hire; begin; **s'—**, enter

enivrer to intoxicate, exalt

enjoué, –e playful, lively, gay

enlever to lift, raise, take off, take away, steal

un **ennemi** enemy

enrager to be enraged, be furious

enrichir to enrich; **s'—**, become rich

enseigner to teach, inform

ensemble together

ensuite afterwards, next, then

entamer to cut into, begin; **— la parole** broach the subject

entendre to hear, understand; **s'—**, agree, have a secret understanding

enterrer to bury

entêté, –e infatuated

l'**enthousiasme** m. enthusiasm

enti–er, –ère entire, complete, whole; **tout —**, completely; **—èrement** entirely, completely

entourer to surround

entraîner to carry away

entre between, among, in; **— nous** between you and me

une **entrée** entrance, entrée

l'**entremise** f. mediation, medium

entreprendre to undertake

une **entreprise** enterprise, undertaking

entrer to enter; **— dans mes intérêts** take an interest in me

entretenir to maintain, support; talk with; **s' —**, converse, chat

un **entretien** conversation

envers toward

l'**envie** f. envy, desire, wish; **mourir d'—**, to be very anxious

envi–eux, –euse envious, jealous

environ about, thereabouts

environner to surround, beset

envisager to consider, stare at

envoyer to send; **— chercher** send for

épais, –se thick, dense, heavy

l'**épargne** f. economy

épargner to save, spare, economize

l'**épaule** f. shoulder

une **épée** sword

éperdu, –e distracted, dismayed

un **épicier** grocer

épiscopal, –e (m. pl. **–aux**) episcopal, bishop's

une **épitaphe** epitaph

une **épithète** invective, insult

épouser to marry

épouvantable terrible, frightful

épouvanter to terrify, frighten

un époux husband

éprouver to try, test, put to the proof, experience

un équipage carriage

équiper to equip, fit out, dress

un ermitage hermitage

une erreur error, mistake

un escalier staircase, stairs

une escopette carbine

l'Escurial *m. see* Notes

un espace space, period

l'Espagne *f.* Spain

espagnol, –e Spanish; *n.* Spaniard

une espèce kind, sort

l'espérance *f.* hope, expectation

espérer to hope, expect

l'espoir *m.* hope

l'esprit *m.* spirit, mind, wit, intelligence, humor, character, consciousness; un bel —, a wit

un essai trial, attempt

essayer to try, try on

essuyer to endure, bear, undergo

une estimation estimate, valuation

estimer to value, price, prize, esteem, think

l'estomac *m.* stomach

estropié, –e crippled; *n.* a cripple

établir to establish, set up in business; s'—, set up for oneself, settle down

étaler to show, display, show off

un état state, condition; un pistolet en —, pistol cocked; être en — de to be ready to, on the point of, able to; l'État the State, government

étendre to stretch, lay; s'—, lie full length

l'étendue *f.* extent

éternel, –le eternal; Père —! *a mild oath*

étinceler to gleam, glitter

une étiquette label, tag

l'étoffe *f.* cloth

une étoile star, lucky star

l'étonnement *m.* astonishment, surprise

étonner to astonish; s'—, be astonished

étourdi, –e giddy, thoughtless

étourdir to stun, deafen

étrange strange

étrang-er, –ère foreign; *n.* foreigner, stranger

être to be, go; — de be one of; — à belong to, be in the service of, depend on

étroitement tightly, closely

un étudiant student

étudier to study

s'évader to escape

s'évanouir to faint, vanish

un évanouissement swoon, fainting spell

une évasion escape

éveillé, –e alert, bright

un événement event

éviter to avoid

l'exactitude *f.* exactness; avec —, exactly, scrupulously

un examen examination

examiner to examine, consider

l'**excellence** *f.* excellence; **Son Excellence** His Excellency

exceller to excel, surpass

exciter to excite, provoke, urge

l'**exclusion** *f.* exclusion

exclusivement exclusively

excuser to excuse, pardon

exécuter to execute, carry out

l'**exécution** *f.* execution, accomplishment

un **exemple** example; **par —**, for example, for instance; **à l'— de** in imitation of

un **exempt** police officer

exercer to practise

l'**exercice** *m.* exercise

exhorter to exhort, admonish

exiger to demand

exiler to exile, banish

expédier to despatch, consume, hasten, draw up

expédit–if, –ive expeditious, speedy

une **expédition** expedition

l'**expérience** *f.* experience

expirer to expire, breathe one's last

expliquer to explain; **s'—**, explain oneself, make explanations

un **exploit** exploit, achievement

exprès expressly, purposely

expressément expressly, clearly

une **expression** expression

exprimer to express

un **extérieur** exterior, appearance

extraordinairement extraordinarily

extrême extreme, utmost; **—ment** extremely

l'**extrémité** *f.* extremity, end, point of death

F

une **fable** fable

un **fabuliste** fabulist, composer of fables

la **face** face; **faire — à** to face, oppose

fâché, –e angry, sorry

fâcher to anger, vex, displease; **se —**, become angry

fâch–eux, –euse troublesome, unfortunate

facile easy, obliging, weak; **—ment** easily

une **façon** fashion, way; **une — de parler** locution, expression

fade tasteless, insipid

un **faible** weak side, weakness; *adj.* feeble, weak

une **faiblesse** weakness, defect, inclination

faire to make, do, cause, counterfeit, play the part of, accustom; **— une question** ask a question; **ne — que** do nothing but; **c'en est fait** it is all over; **se —**, become, become accustomed

un **fait** fact, point, deed, what

suits; **être au** —, to understand; **mettre au** —, inform; **venir au** —, come to the point

falloir *impers.* to be necessary, need; **s'en** —, be lacking; **peu s'en faut** almost

fam-eux, -euse famous

familièrement familiarly

une **famille** family; **un enfant de** —, child of good birth

farci, -e stuffed, full

un **fardeau** burden

farder to paint, gloss

fatal, -e (*m. pl.* **-als**) fatal, fated

la **fatigue** fatigue, hardship

fatiguer to fatigue, tire, bother

une **faute** mistake, lack; — **de** for lack of

un **fauteuil** armchair

faux, fausse false, wrong

une **faveur** favor, protection; **en** — **de** in behalf of

favorable favorable, propitious; —**ment** favorably

favori, -te favorite

feindre to feign, sham; — **de** pretend

une **feinte** feint, ruse

féliciter to congratulate, compliment

une **femme** woman, wife; **une** — **de chambre** chambermaid

une **fenêtre** window

le **fer** iron

ferme firm, unshaken, constant

fermer to close, lock; — **l'œil** *or* **les yeux** go to sleep

ferré, -e shod, skilled; — **à glace** very skilled, well versed

une **férule** ruler, rod, severe authority

une **fête** holiday, feast; **faire** — **à** to treat with great consideration

le **feu** fire, inspiration, animation; **voir le** —, to see action

une **feuille** leaf

une **fève** bean

fidèle faithful, loyal, trusty; *n. m. pl.* believers, the faithful

se **fier** to trust, have confidence

fier, fière proud, haughty

une **fièvre** fever

une **figue** fig

une **figure** appearance, manner, face, countenance, person; **faire** —, to cut a figure

une **fille** daughter, girl, servant

un **fils** son; **mon** —, my boy, my lad

la **fin** end, death

fin, fine fine, witty, sly

finir to finish, end; — **par** finally

fixement fixedly, attentively

fixer to fix, appoint

un **flambeau** torch, candlestick, luminary

une **flamme** flame

un **flanc** flank, side

flanquer to flank

flatter to flatter; **se —,** flatter oneself

la **flatterie** flattery

flatt–eur, –euse flattering; *n.* flatterer

la **fleur** flower, bloom; **à — de** on a level with

florissant, –e flourishing, prosperous

la **foi** faith, belief; **ma —!** upon my word! **la bonne —,** sincerity, honesty; **de bonne —,** sincerely; **être de bonne —,** to be sincere, believe firmly

le **foin** hay

la **fois** time; **une —,** once

la **folie** madness, folly

une **fonction** function

le **fond** bottom; **le — de l'âme, du cœur** the bottom of one's heart; **à —,** thoroughly

fonder to found, substantiate

fondre to melt; pounce, swoop; **— en larmes** burst into tears

le **fonds** funds, money, cash; **être en —,** to have money, be well off

une **fontaine** fountain, spring

la **force** strength, vigor, ability; **à — de** by dint of, by; *adj.* many

forcé, –e forced, strained

forcer to force, break open

une **forêt** forest

la **formalité** formality

la **forme** form; crown (*of a hat*)

former to form

fort, –e *adj.* strong; *adv.* very, very much; **—ement** strongly, tightly

un **fort** strong point, forte

la **fortune** fortune

un **fossé** ditch

fouiller to search

un **fourbe** rascal, scoundrel

fournir to furnish, provide

franc, franche frank, downright, arrant

frapper to strike, hit, impress, make an impression on

la **frayeur** fright

un **frein** bit; **ronger son —,** to champ at the bit, wait impatiently

frémir to tremble

fréquent, –e frequent

un **frère** brother

friand, –e dainty, fond; epicurean

une **fricassée** fricassee

un **fripier** dealer in old clothes

fripon, –ne knavish, rascally; *n.* rogue, rascal

froid, –e cold, cool, indifferent; **—ement** coldly, coolly

le **fromage** cheese

le **front** front; **le — de la bataille** firing line

frugal, –e (*m. pl. –aux*) frugal, sober, temperate; **—ement** frugally, meagerly

la **frugalité** frugality

le **fruit** fruit, result, reward

fuir to flee, escape

la **fuite** flight, escape

la **fumée** smoke; dream, vision

funèbre funereal, mournful

funeste fatal, pernicious

un **furet** ferret, prying person

furi–eux, –**euse** furious, enraged; —**eusement** furiously, exceedingly

G

les **gages** *m. pl.* wages

gagner to gain, win, earn, reach, improve

gai, –**e** gay, happy; –**ement** gaily

la **gaieté** gaiety, good humor

galant, –**e** honest, worthy, fine, gallant

la **Galice** Galicia (*province of Spain*)

le **galop** gallop

un **garçon** boy, bachelor, lad, fellow, helper, servant

la **garde** guard; **prendre** — **à** to pay attention to, heed, notice; **être** *or* **se tenir sur ses** —**s** be on one's guard; **être en** —, beware

garde-malade *m. & f.* nurse

garder to keep, guard, tend; **se** — **de** take care not to

une **garde-robe** wardrobe

garni, –**e** furnished

garnir to provide, fill

un **gémissement** groan, wail

un **gendarme** gendarme

la **gendarmerie** gendarmes

un **gendre** son-in-law

la **gêne** constraint, embarrassment; **sans** —, freely

général, –**e** (*m. pl.* –**aux**) general; **en** —, in general, generally

génér–eux, –**euse** generous, noble

la **générosité** generosity

le **génie** genius, spirit; **mon bon** —, my guardian spirit

le **genou** knee

les **gens** *m. or f. pl.* people, retainers, domestics

un **gentilhomme** nobleman, noble

un **geôlier** jailer

germain, –**e** *see* **cousin**

germer to bud, grow

le **gibier** game

un **gîte** lodging

glisser to slip; **se** —, slip, steal in, insinuate oneself

la **gloire** glory

la **gorge** throat

le **goût** taste, inclination, liking; **mettre en** —, to give a liking for; **avoir du** — **pour** like

goûter to taste, experience, enjoy

la **goutte** drop; gout

goutt–eux, –**euse** gouty; gouty person

une **gouvernante** housekeeper

le **gouvernement** government, governorship

gouverner to govern

un **gouverneur** governor

un **grabat** uncomfortable bed

la **grâce** grace, favor, pardon, mercy, thanks; **les bonnes** —**s** good graces, favor; **rendre** —(**s**) **à** to thank; **de** —, I beg you; **de bonne** —, willingly; —(**s**) **au ciel** thank heaven, luckily

graci–eux, –euse gracious,
kind; —eusement gra-
ciously, kindly

un grain grain, bead

un grammairien grammarian

grand, –e great, large,
high, tall

la grandeur grandeur, honor;
Sa Grandeur His Grace

grave grave, serious;
—ment gravely, seri-
ously, grievously

le gré will, wish, liking; savoir bon —, to be grate-
ful, thank; savoir mau-
vais —, be displeased

grec, grecque Greek

la Grèce Greece

Grenade f. Granada (the
name of a province and
city in the south of Spain)

grenadin, –e of Granada,
from Granada

une griffe claw, grasp; pl.
clutches

une grille grate, gate

grincer to grate, grit

un grison footman (dressed in
gray, who performs secret
errands); informer

gros, grosse big, fat

grossièrement coarsely,
grossly

grotesque grotesque, ridiculous

guère: ne... —, scarcely,
hardly, but little

guérir to cure

un gueux beggar, rascal

un guichetier turnkey, jailer

un guide guide; pl. horsemen
(who served formerly as es-
cort); riders

H

habile clever, skilful

l'habillement m. clothing,
clothes, attire

habiller to clothe, dress,
make clothes for; s'—,
dress oneself, fit oneself
out

un habit coat, suit; pl. clothes

une habitation dwelling; set-
tlement (in the colonies)

habiter to inhabit, live in

une habitude habit

la * haine hatred

* haïr to hate

le * hallier thicket

la * halte halt; faire —, to
halt; —-là hold on! stop
there!

le * hameau hamlet

* haranguer to harangue

les * hardes f. pl. clothes, belongings

* hardi, –e bold, daring

la * hardiesse boldness, im-
pudence

le * hasard chance, fate; par
—, by chance, luckily;
au —, at random

* hasarder to risk, venture

* hâter to hasten; se —,
make haste, hurry

* haut, –e high, tall, lofty,
loud

le * haut the top; tout au
—, at the very top

le * haut-de-chausses knee
breeches

hélas! alas!

hériter to inherit

un héritier heir

une héritière heiress

hésiter to hesitate, falter

l'heure *f.* hour, time, o'clock; **à toute —,** continually; **de bonne —,** early; **tout à l'—,** a little while ago; presently

heur—eux, —euse happy, lucky, successful, favorable, excellent; **—eusement** happily, luckily, safely

Hippocrate *see* **Notes**

une **histoire** history, story

une **homélie** homily, sermon

un **homme** man; **vous êtes son —,** you are just the man for him

honnête good, worthy, honorable, honest, polite

l'honneur *m.* honor; **un homme d'—,** honorable man; **faire — à un repas** to eat heartily

honorable honorable, respectable

honorer to honor, esteem

la * **honte** shame; **avoir —,** to be ashamed

un **hôpital** hospital, almshouse

Horace *see* **Notes**

l'horreur *f.* horror

* **hors** outside; **— de** out of, outside of, besides, beyond; **être — de soi** to be beside oneself

un **hôte** host, hotel keeper

un **hôtel** mansion, large house, hotel

un **hôtelier** innkeeper, host

une **hôtellerie** hostelry, inn

une **hôtesse** hostess, landlady

humain, —e human, humane, kindly

l'humanité *f.* humanity; *pl.* the humanities, the classics

humblement humbly

l'humeur *f.* humor, disposition, character; **de belle —,** in good humor

humilier to humiliate

une **hyperbole** hyperbole, exaggeration

hypocrite *n. & adj.* hypocrite; hypocritical

I

ici here

une **idée** idea; **-e** ignorant

ignorant, —e ignorant

ignorer to be ignorant of, not to know

une **île** island

une **illusion** illusion

illustre famous, eminent

s'imaginer to imagine, fancy, believe

un **imbécile** idiot, fool; *adj.* idiotic, silly

immédiatement immediately

immodéré, —e immoderate, excessive

impatienter to make impatient; **s'—,** be impatient, lose patience

impérieusement imperiously, haughtily

implorer to implore

importer to be important

importun, —e importunate, tiresome

importuner to importune, tire, bother

impropre improper, incorrect

impunément with impunity

imputer to impute, attribute

un **incendie** fire, conflagration

l'**incertitude** *f.* uncertainty

une **inclination** inclination, bow, nod

incognito incognito, under an assumed name

incommoder to inconvenience, trouble, disturb; **s'—**, inconvenience oneself, put oneself out

inconnu, —e unknown; *n.* stranger

les **Indes** *f. pl.* the Indies, America

indi-en, —enne Indian

indifférent, —e indifferent

indiquer to point out, show

une **indisposition** indisposition, illness

un **individu** individual, person

l'**industrie** *f.* skill, wits

infatigable indefatigable

infiniment extremely

une **infinité** infinity, great number

infirme sickly, ailing

un **infirme** invalid

une **infirmité** infirmity, chronic illness

in-folio, in-folio (*said of a book the sheets of which are folded once; hence, the largest size*)

informer to inform; **s'—**, inquire

une **infortune** misfortune

ingénument ingenuously, naïvely

ingrat, —e ungrateful

une **injure** insult

injuste unjust

l'**inquiétude** *f.* uneasiness, anxiety

une **inscription** inscription

inscrire to inscribe, write names in a register

insensiblement imperceptibly, little by little

insinuer to hint, suggest; **s'—**, worm oneself

insipide insipid, tasteless

insister to insist, persist

insolent, —e insolent, impudent

inspirer to inspire, instil

installer to install

une **instance** entreaty, prayer

l'**instruction** *f.* instruction, education, teaching, lesson

instruire to instruct, teach

instruit, —e learned, well-informed

un **instrument** instrument, implement

à l'**insu de** unknown to

l'**intelligence** *f.* intelligence, understanding; **être d'—**, to be in league, be in complicity

l'**intempérance** *f.* intemperance, excess

un **intendant** steward, manager

interdire to prohibit, forbid; **— la cour à** exile from court

intéresser to interest, appeal to; **s'—**, become interested, take an interest in

l'intérêt *m.* interest

interroger to question

interrompre to interrupt

une **intrigue** intrigue

introduire to show in, admit; **s'—**, gain admittance

inutile useless; **—ment** uselessly, in vain

inviter to invite

irriter to irritate

Isocrate *see* **Notes**

item (*Latin*) also, likewise

J

jacasser to chatter

Jacques *see* **Notes**

jamais ever; **ne ... —**, never; **à —, pour —**, forever

une **jambe** leg; **avoir les —s fort tournées en dedans** to be very knock-kneed

un **jardin** garden

jeter to throw, hurl, cast, utter; **— les yeux** *or* **la vue sur** cast one's eyes on, look at; **se —**, hurl oneself, fall upon

un **jeu** game

jeune young

jeûner to fast, eat little

la **jeunesse** youth; **la première —**, early youth

un **joaillier** jeweler

la **joie** joy, contentment

joindre to join, adjoin; come up to, overtake

joli, -e pretty, nice

jouer to play, act, feign, deceive; **se — à** attack; **se — de** deceive, make a fool of

un **jouet** plaything, sport

jouir de to enjoy

le **jour** day, daylight, daybreak; *pl.* life; **huit —s** a week; **un —**, some day

une **journée** day

joy-eux, -euse joyful, joyous, cheerful

judici-eux, -euse judicious, wise

un **juge** judge

un **jugement** opinion, view, sentence

juger to judge, decide, be of an opinion, deem, think

jurer to swear, blaspheme

jusque to, as far as, until; **—-là** until then, up to that point; **jusqu'à** as far as, even; **jusqu'à ce que** until

juste just, lawful, appropriate, right, exact; *adv.* just, exactly; **—ment** justly, exactly

la **justice** justice, courts of justice

justifier to justify

L

là there; **par —**, in that way

un **labyrinthe** labyrinth, maze

laisser to let, leave

le **lait** milk

lamentable lamentable, pitiful

une **lampe** lamp
lancer to cast, throw; publish, announce
le **langage** language
la **langue** tongue, language
une **lanterne** lantern; **une — sourde** dark lantern
un **lapereau** young rabbit
un **lapidaire** lapidary, cutter of precious stones
un **lapin** rabbit
un **laquais** lackey, footman
le **larcin** booty, spoils
large broad, wide
une **larme** tear; **avoir la — à l'œil** *cr* **les —s aux yeux** to have tears in one's eyes
las, –se tired
lasser to tire; **se —,** grow tired
latin, –e Latin
le **latin** Latin, the Latin language
laver to wash
une **leçon** lesson; **faire une —,** to give advice, lecture
un **lecteur** reader
la **lecture** reading
lég–er, –ère light, delicate, trifling, slight; **—èrement** lightly, slightly
un **legs** (*both the* g *and* s *are silent*) legacy, bequest
le **lendemain** next day, morrow
Lerme (**le duc de**) *see* **Notes**
une **lettre** letter; *pl.* alphabet, literature; **une — de noblesse** patent of nobility

lever to raise, lift; **se —,** rise, stand up
un **libérateur** liberator, rescuer
la **liberté** liberty, freedom; **en —,** freely; at liberty
libre free; **—ment** freely, frankly
un **licencié** licentiate (*person holding a degree corresponding roughly to the M. A.*)
lier to tie, bind; **— conversation** begin a conversation
un **lieu** place, occasion; *pl.* premises; **avoir — de** to have cause to; **au — de** instead of
une **lieue** league; **à vingt —s à la ronde** in the surrounding country
un **lieutenant** lieutenant
limer to polish
le **linge** linen
une **liqueur** liquor
lire to read
un **lit** bed
la **littérature** literature; **avoir de la —,** to be well-read
un **livre** book
la **livrée** livery
livrer to deliver; **se —,** devote oneself, abandon oneself
un **logement** lodgings
loger to live, lodge, give lodging; **être logé** live, dwell
la **logique** logic
un **logis** house, dwelling
la **loi** law

loin far; **de —**, from afar, at a distance; **— de** far from

long, longue long; **le — de** along

longtemps a long while

la **longueur** length, slowness

lorsque when

le **louage** hire

la **louange** praise

louer to praise, applaud, approve; rent, hire

lucrat–if, –ive lucrative, profitable

une **lueur** gleam, glimmer

un **lustre** luster, chandelier

M

Madrid *capital of Spain*

un **magistrat** magistrate

magnifique magnificent, sumptuous

maigre thin, lean; **un jour —,** day of abstinence

la **main** hand, handwriting; **un cheval de —,** led horse; **entre les —s** in one's possession, in one's charge; **en — propre** personally

maintenant now

maintenir to maintain, keep up

le **maintien** appearance, attitude

une **maison** house, household, home

un **maître** master, proprietor; *a title of courtesy;* **être — de ses actions** to be one's own master

la **majesté** majesty

mal badly

le **mal** (*pl.* **maux**) evil, ill, harm, pain

malade sick, ill; *n.* sick person, patient

une **maladie** sickness, illness

malgré in spite of

le **malheur** misfortune, bad luck

malheur–eux, –euse unfortunate, unhappy, miserable

la **malice** malice

une **malle** trunk

malpropre dirty, untidy

maltraiter to maltreat, harm

un **mandat** order

manger to eat

un **mangeur** eater, glutton

manier to handle, touch

une **manière** manner, way; **de — que** so that

un **mannequin** basket, hamper

manquer de to lack; **ne pas — de** not to fail to; **— à** fail, be lacking

un **manteau** mantle, cloak

un **manuscrit** manuscript

le **Manzanarès** *river on which Madrid is situated*

un **maquignon** horse-dealer

un **marchand** merchant, dealer

un **marché** market, market-place, bargain, sale, purchase; **en être quitte à bon —,** to get off cheaply *or* easily; **par-dessus le —,** into the bargain

marcher to walk

une **mariée** bride
   marier to marry, make a match for
une **marque** mark, sign, proof
   marquer to mark, show, indicate
   matériellement materially, physically
le **matin** morning; **de bon —,** early in the morning
la **matinée** morning
   maudire to curse
   maudit, –e cursed, accursed
   mauvais, –e bad, worthless
   méchant, –e bad, wicked; **faire le —,** to cause trouble
une **médaille** medal
un **médecin** doctor
la **médecine** medicine, the medical profession
   médiocre mediocre, average, moderate
   méditer to meditate, contemplate
   meilleur, –e better; **le —,** the best
la **mélancolie** melancholy
   mêler to mingle, mix; **se — à** join in, take part in
un **membre** member, limb
   même *adj.* same, self, very; *adv.* even, also; **quand —,** even though
la **mémoire** memory, commemoration
un **mémoire** memorandum, account, bill; dissertation

   menaçant, –e threatening
   menacer to threaten
   ménager to be sparing of, spare, save
   mener to lead, take
la **mention** mention
le **menton** chin
   menu, –e small, slight; **la —e monnaie** small coins
   se **méprendre** to make a mistake, be mistaken
le **mépris** scorn, contempt, disdain
une **mère** mother
le **mérite** merit, worth
   mériter to deserve
une **merveille** marvel, wonder; **à —,** wonderfully well
   merveill-eux, –euse marvelous, wonderful
la **messe** mass
la **mesure** measure; **à — que** in proportion as; as
   mesurer to measure; **— ses paroles** weigh one's words
le **métal** metal
une **méthode** method, way
un **métier** trade, profession
un **mets** dish, food
   mettre to put, place, set; **— au fait** inform; **se — à table** sit down at table; **se — au lit** go to bed; **se — à** (*with infinitive*) begin to
   meubler to furnish
le **Mexique** Mexico
   midi *n. m.* noon
   mieux *adv.* better; **être —,** to be better off, be more comfortable; **de**

son —, as well as possible

le **milieu** middle, midst

mille thousand, many

une **mine** mine

le **ministère** ministry, aid, minister's office

un **ministre** minister; **le premier** —, prime minister

misérable miserable, wretched, pitiful, poor; *n.* wretch, miserable wretch

la **misère** misery, poverty

la **miséricorde** mercy; **crier** —, to beg for mercy

modéré, –e moderate

modérer to moderate, lessen, temper

modeste modest, unassuming

une **modification** modification, alleviation

les **mœurs** *f. pl.* morals, manners, habits

moindre less, least

un **moine** monk

moins less; **le** —, the least; **au** —, **du** —, **pour le** —, at least; **à** — **que** unless

un **mois** month

la **moitié** half; **à** —, half

un **moment** moment, instant; **de** — **en** —, at short intervals

une **monarchie** monarchy

un **monarque** monarch

un **monastère** monastery, convent

le **monde** world, people; **tout le** —, everyone; **du** —, in the world

la **monnaie** coin, coins, change

monseigneur monsignor, my lord

monsieur (*pl.* **messieurs**) sir, Mr.; **un** —, gentleman

monter to mount, go up, enter, ride

montrer to show

se **moquer de** to laugh at, make fun of, make a fool of

la **morale** morals, morality; a moral lesson, lecture

un **morceau** piece, bit, part, morsel, dish

la **mort** death; **par la** —! *an oath; cf. English's death*

mort, –e dead; a dead person

mortel, –le mortal, deadly, cruel; *n.* mortal, person

mortifiant, –e humiliating

mortifier to mortify, grieve

un **mot** word; **en un** —, in short; **en deux** —s briefly

mourant, –e dying, languishing

mourir to die

une **mousquetade** musket shot, volley of muskets

le **mouton** sheep, mutton

un **mouvement** movement, motion, impulse

le **moyen** means; **il n'y a pas** —, it is impossible

une **mule** mule, slipper

un **mulet** mule

un **muletier** muleteer

Murcie *f.* Murcia (*name of*

a province and city in the southeast of Spain)
un **mystère** mystery

N

la **naissance** birth
naissant, –e newly-born, dawning, rising
naître to be born
la **nature** nature
naturel, –le natural, easy; **—lement** by nature, genuinely
ne *indicates negation;* — ... **que** only
né, –e *p.p. of* **naître**
néanmoins nevertheless
nécessaire necessary
la **nécessité** necessity, need
la **négligence** negligence, neglect, oversight
négliger to neglect, ignore
un **négociant** merchant, businessman
un **nègre** negro
un **nerf** nerve; **un — de bœuf** (*the* **f** *is silent in* **nerf**) rawhide whip
nerv–eux, –euse nervous; wiry, vigorous
net, nette *adj.* clean, clear; *adv.* plainly, frankly; *n. m.* a correct copy; **mettre au —,** to rewrite, make a corrected copy of
la **netteté** cleanness, clearness
neuf, neuve new, green, inexperienced
un **neveu** nephew
le **nez** nose, face; **rire au — de quelqu'un** to laugh in

his face; **mener par le —,** force to do one's will
une **nièce** niece
nigaud, –e silly, simple; *n.* simpleton, ninny
la **noblesse** nobility, nobleness, loftiness
un **nom** name, noun
nommer to name, call, choose; **se —,** be named
un **notaire** notary
une **note** note, bill
nourrir to feed
la **nourriture** food, meals
nouveau (nouvel), nouvelle new, other; **de —,** anew, again
une **nouveauté** novelty, innovation
une **nouvelle** piece of news
nouvellement lately, recently
la **nuit** night, dark, darkness
nullement not at all, by no means

O

obéir to obey, yield
l'**obligation** *f.* obligation; **avoir bien de l'—,** to be greatly indebted
obligeamment obligingly
obligeant, –e obliging, kind
obliger to oblige
une **observation** observation, remark, objection
observer to observe, notice, watch; **s'—,** be discreet
obtenir to obtain
une **occasion** occasion, opportunity

l'**occupation** *f.* occupation, work

occuper to occupy, employ; **s'— à** spend one's time in, be busy; **s'— de** interest oneself in, turn one's attention to

un **œil** (*pl.* **yeux**) eye; **ouvrir de grands yeux** to look with astonishment

un **œuf** (*the* **f** *is silent in the plural*) egg

offenser to offend, anger, hurt; **s'—**, be offended, be angry

un **office** office, function, duty; *f.* pantry

un **officier** officer, retainer

une **offre** offer

offrir to offer, present, propose; **s'—**, be offered, present oneself, appear

un **oiseau** bird

l'**ombrage** *m.* shade

une **ombre** shadow, shade; **les —s de la mort** shades of death

une **omelette** omelet

un **oncle** uncle

l'**opiniâtreté** *f.* obstinacy, stubbornness

opposer to oppose; **s'— à** be opposed to, resist, object to

l'**opulence** *f.* wealth, opulence

l'**or** *m.* gold

une **oraison** oration, prayer; **une — funèbre** funeral oration

un **orateur** orator

ordinaire ordinary, usual, common, average; **d'—**, *or* **—ment** ordinarily, usually

l'**ordinaire** *m.* customary thing, daily fare, diet; **à son —**, as usual

une **ordonnance** order, prescription

ordonner to order, prescribe

un **ordre** order

l'**oreille** *f.* ear, hearing

un **oreiller** pillow

un **orfèvre** goldsmith

l'**orge** *f.* barley

une **orgie** carousing, revelry

l'**orgueil** *m.* pride, arrogance

orgueill-eux, -euse proud, haughty

original, -e original, queer; *n.* queer individual

l'**ornement** *m.* ornament, adornment, glory

orner to adorn

oser to dare

ôter to take away, remove, take off; cure

où where, in which, when; **d'—**, whence; **par —**, through which, by which

oublier to forget, omit, fail

outre besides, beyond, further; **passer —**, to go on, proceed; **en —**, besides; **— que** beside the fact that; **not only ... but**

outré, -e exaggerated, extravagant

l'**ouvrage** *m.* work

ouvrir to open; **les portes vous sont ouvertes** you are free to leave

Oviédo *a Spanish town, seat of a university*

P

un **page** page; **plus effronté qu'un —,** very impudent

la **paille** straw

le **pain** bread, loaf of bread; **un petit —,** roll

la **paix** peace

un **paladin** paladin, knight errant

un **palais** palace

pâle pale, pallid

une **palette** basin (*for drawing blood*); basinful (*four ounces*)

pâlir to turn pale

un **panégyriste** panegyrist, eulogizer, flatterer

le **pape** Pope

le **papier** paper

un **paquet** package

par by, through; **de —,** by order of, in the name of

le **paradis** paradise

paraître to appear, seem; **il y paraît** it is evident, there are signs of it

un **parasite** parasite

parbleu! *a mild oath*

parce que because

parcourir to travel through, look over, peruse, search

pardonner to pardon, forgive

pareil, –le like, equal, similar, such

un **parent,** une **parente** relative; *m. pl.* relatives, parents

parer to adorn, dress up, deck, set

paress–eux, –euse lazy

parfait, –e perfect, finished; **—ement** perfectly, completely, exactly

parler to speak, talk

parmi among

une **parole** word, voice, promise; **tenir sa —,** to keep one's promise; **prendre la —,** take the floor, begin to speak

un **parrain** godfather

une **part** share, part, interest; **de toutes —s** on all sides; **de la — de** in behalf of, from; **de — et d'autre** on both sides, both; **avoir — à** to have a share in, share; **prendre en mauvaise —,** take amiss, take in the wrong spirit

partager to share, participate in

un **parti** side, part, resolution; match; **prendre le —,** to make up one's mind, intend; **prendre le — de quelqu'un** take someone's part, side with him

la **participation** participation, concurrence

particuli–er, –ère particular, special, extraordinary, private; **en —,** in private; **—èrement** particularly, especially

une **partie** part, party; **être de la —,** to join someone

partir to go, go away, leave, come, proceed

partout everywhere

parvenir to attain, arrive, reach, succeed

un **pas** step, pace, walk; **marcher sur les — de quelqu'un** to walk on someone's heels, follow closely; **— à —,** or **au petit —,** very slowly; **à grands —,** quickly; **de ce —,** immediately, directly

un **passage** passage, path

un **passant** passer-by

le **passé** past

passer to pass, pass away, fade, die; cross, put; spend (*time*); live through; **— pour** be considered, be reputed; **le pas** die; **en — par où l'on veut** submit to one's bidding; **se —,** pass, happen; **se — de** get along without

passionné, –e passionate, fond; **faire le —,** to play the part of the ardent suitor

une **patente** license, permit

pathétique pathetic, touching

la **patience** patience; **prendre —,** to be patient

la **patrie** native country, town; home

un **patron** patron, protector, master, employer

la **paupière** eyelid; **fermer la —,** to shut one's eyes, sleep

pauvre poor, unfortunate

le **pavé** pavement, street; **être sur le —,** to be out of employment

payer to pay, pay for; **— pour** compensate, make up for

le **pays** country, section, birthplace, home; **voir du —,** or **le —,** to travel

la **peau** skin

un **pécheur** sinner

un **pédant** pedant

peindre to paint, depict; **se —,** imagine, picture

la **peine** punishment, penalty, pain, suffering, affliction, trouble, misery, difficulty; **se faire de la —,** to grieve; **sans —,** without difficulty, readily; **à —,** scarcely

un **pèlerin** pilgrim

Peñafiel *a town in northwestern Spain*

pendant during, for; **— que** while

pendre to hang, hang up

pénétré, –e touched, filled

pénétrer to penetrate, enter

pénible painful, difficult

la **pénitence** penitence

une **pensée** thought, idea, opinion

penser to think, be on the point of; **je pensai succomber** I almost succumbed; **— de** have an opinion of

un **pensionnaire** pensioner, boarder; **— de Sa Majesté** prisoner

une **pente** slope; **en —,** sloping

perçant, –e piercing, shrill

perclus, –e crippled, paralyzed

perdre to lose, ruin; fail to hear; miss; **— son temps** waste time; **se —,** be lost, disappear, go to ruin

une **perdrix** partridge

le **père** father; monk

le **péril** peril, danger

périr to perish

permettre to permit, allow

le **Pérou** *see* **Notes**

persan, –e Persian

la **Perse** Persia

persister to persist, continue

un **personnage** person, personage, important person, character, part

une **personne** person; **ma petite —,** my little self

une **perspective** prospect

persuader to persuade, convince; **se —,** be convinced, believe, imagine

la **perte** loss, death

pesant, –e heavy

peser to weigh; **— ses discours** weigh one's words

petit, –e small, little, young; petty, common

un **petit-maître** fop

peu little, few; **un —,** a little, somewhat; **pour — que j'eusse eu d'expérience** if I had had the slightest experience; **— à —,** little by little;

tant soit —, ever so little, very little

le **peuple** people, nation, common people

la **peur** fear; **avoir —,** to be afraid; **avoir grand' —,** be in great fear; **de — de** for fear of; **de — que** for fear that, lest

peut-être perhaps, maybe

Philippines (les îles) Philippines (*formerly a Spanish possession*)

un **philosophe** philosopher

la **philosophie** philosophy

une **phrase** sentence

une **pie** magpie

une **pièce** piece, part, bit, coin, room, document; **— à —,** bit by bit

le **pied** foot, leg, footing; **être sur —,** to be up; **mettre — à terre** dismount; **au — de** at the foot of; **à —,** on foot

un **piège** trap, snare

la **pierre** stone

les **pierreries** *f. pl.* precious stones

la **piété** piety

pieux, pieuse pious, religious

le **pillage** pillage, plunder

piller to pillage, plunder

une **pilule** pill; **avaler une —,** to swallow a bitter pill

une **pinte** pint

une **pique** pike

pis worse

une **pistole** pistole (*former gold coin of varying value*); **une double —,** doubloon

un **pistolet** pistol

la **pitié** pity

une **place** place, position, post

placer to place, put, find employment for

plain, –e even, flat; **de —-pied** on the same floor

plaindre to pity; **se —,** complain

une **plaine** plain

une **plainte** complaint, plaint, groaning

plaint if, –ive plaintive, doleful

plaire to please; **à Dieu ne plaise** God forbid; **plût à Dieu** would to God; **plût au ciel** would to heaven; **s'il vous plaît** please; **se — à** take pleasure in, like

plaisant, –e amusing, funny

un **plaisant** joker

une **plaisanterie** joke

le **plaisir** pleasure, favor; **prendre — à** to delight in, enjoy; **faire — à** please

un **plan** plan, design, scheme

plat, –e flat, dull; empty

un **plat** dish, course

plein, –e full

pleurer to cry, weep

les **pleurs** *m. pl.* tears

la **pluie** rain, shower

une **plume** feather, pen, writing, writings, style

la **plupart** most, the majority

plus more; **ne ... —,** no more, no longer; **de —,** besides; **au —,** at most; **tout au —,** at the very most; **d'autant —,** all the more, the more so

plusieurs several

plutôt rather

une **poche** pocket

un **podagre** gouty person

un **poète** poet

le **poids** weight, burden

une **poignée** handful

un **poing** fist, hand

un **point** point, degree, period; **le — du jour** daybreak; **de — en —,** exactly **point: ne ... —,** not; **— du tout** not at all

un **pois** pea

un **poisson** fish

le **poivre** pepper

poli, –e polite; **—ment** politely

polir to polish

politique political

une **pomme** apple

un **port** port, harbor

une **porte** gate, door

la **portée** reach, range

un **portefeuille** portfolio

porter to carry, wear, propose, pronounce; **— les armes** bear arms, be a soldier; **se — bien** be well

un **porteur** porter, bearer

une **portière** door (*of a vehicle*)

un **portrait** portrait, description

poser to put, place

une **position** position, situation

posséder to possess, enjoy

un **poste** place, position

un **pot** pot, jug

le **potage** soup

un **poulet** chicken

le **pouls** (*pronounced* **pou**) pulse

un **pourpoint** doublet

pourquoi why

poursuivre to pursue, continue

pourtant however, yet, still

pourvoir to provide, supply

pourvu que provided that

pousser to push, advance, give a start in life; utter; se —, make one's way, succeed

pouvoir to be able, can, may; **je le puis** I am able to do it; **il pouvait avoir trente ans** he might have been thirty years old; **n'en — plus** be completely exhausted *or* worn out

le **pouvoir** power

pratiquer to practise

une **prébende** stipend (*of canon*)

précédent, –e preceding

précéder to precede

un **précepte** precept

un **précepteur** tutor

prêcher to preach

la **précipitation** haste

précipiter to hasten, speed

la **précision** precision

un **prédécesseur** predecessor

une **prédiction** prediction

prédire to predict

un **préjugé** prejudice

un **prélat** prelate

prem–ier, –ière first, foremost, principal, best, elementary

prendre to take, seize, assume, catch, attack,

buy; **le feu avait pris au château** the castle had taken fire; **se — à** begin to; **s'y —**, go about it

préparer to prepare; se —, prepare

près near; **— de** near, nearly, about; **de —**, closely; **à . . . —**, with the exception of

présager to presage, augur

prescrire to prescribe

un **présent** present, gift; **faire — de** to make a present of, bestow

présent, –e present; **à —**, at present

présentement at present

présenter to present, introduce; se —, appear

préserver to preserve, protect

presque almost

pressant, –e urgent, earnest

pressentiment presentiment

presser to press, squeeze, urge

présumer to presume, assume

prêt, –e ready

prétendre to claim, wish, intend

prétendu, –e so-called, would-be

prêter to lend; **— l'oreille** listen; **— à rire** be a laughing-stock; se — à consent to, yield to

prévenir to precede, anticipate, prevent, prejudice, predispose, inform, warn

prévoir to foresee
prier to pray, beg
une **prière** prayer, entreaty
un **prince** prince
une **principauté** principality
un **principe** principle, rule, element
une **prisée** estimate, valuation
priser to set a price on, appraise
la **prison** prison, imprisonment
un **prisonnier** prisoner
priver to deprive
un **privilège** privilege, license
un **prix** price, value, reward
probablement probably
la **probité** honesty
procéder to proceed
un **procès** lawsuit, trial
prochain, –e *adj.* next, approaching; *n. m.* neighbor, fellow man
proche near
procurer to procure
un **prodige** prodigy
prodiguer to lavish
produire to produce
professer to profess, practise
une **profession** profession, calling
le **profit** profit, benefit, advantage, use; **mettre à —,** to turn to account
profiter to profit; **— de l'occasion** seize the opportunity
profond, –e profound, deep; sweeping (*bow*); **–ément** profoundly, deeply
une **proie** prey, victim

un **projet** project, plan
prolonger to prolong
une **promesse** promise
promettre to promise; **se —,** promise oneself, resolve, hope
prompt, –e prompt, ready; **—ement** promptly
prononcer to pronounce, utter, deliver
la **proportion** proportion; **à —,** in proportion; **à — de** in proportion to; **à — que** as
le **propos** discourse, words; **à —,** fitting, proper; **à — de** concerning, about
proposer to propose, suggest, offer; **se —,** intend
une **proposition** proposition, proposal, suggestion
propre own; fitted, suitable; clean, neat; **—ment** properly, correctly
la **prospérité** prosperity, good luck
la **protection** protection, patronage, favor
protester to protest, maintain
prouver to prove
un **proverbe** proverb
la **Providence** Providence
provincial, –e (*m. pl.* **–aux**) provincial, uncouth
une **provision** provision, supply
publ–ic, –ique public
puis then
puisque since
punir to punish

Q

la **qualité** quality, noble birth; **un homme de —,** nobleman; **en — de** as a; **en cette —,** as such

quand when, even if

la **quantité** quantity, number

un **quart** quarter

le **quartier** quarter, neighborhood; mercy; **donner —,** to spare

quelque some, a few; however

quelquefois sometimes

une **querelle** quarrel, dispute

se **quereller** to wrangle, quarrel

une **question** question; **il est — de** it is a question of, it concerns

questionner to question

qui who, whom, which; **— que** whoever

un **quidam** (*Latin*) person, stranger

quitte quit, free; **en être — pour** to be let off with

quitter to quit, leave, take off, lay aside

quoi what; **— que** whatever; **sur —,** whereupon; **avoir de —,** to have enough to, have means of

quoique although

R

raconter to tell

radicalement radically

une **rage** rage, mania, passion

un **ragoût** stew

raidir to stiffen; **se —,** steel oneself, resist

railler to joke, laugh at

la **raillerie** mockery, banter; **ne pas entendre —,** to be very strict

un **raisin** grape; **un — sec** raisin

une **raison** reason, cause; **avoir —,** to be right; **faire — à** pledge, drink to the health of

raisonnable reasonable, sensible, adequate

le **raisonnement** reasoning, argument

raisonner to reason, argue

rajuster to readjust, reconcile

ralentir to slow down, abate

ramasser to pick up

ranger to arrange, draw up

rapide rapid, swift

une **rapière** rapier

rappeler to recall, call back, summon; **se —,** remember

rapporter to bring back, report, relate; **s'en — à** have confidence in, rely on

rare rare, unusual

rassasier to fill, satiate

rassurer to reassure; **se —,** be reassured

un **râtelier** rack

une **ratière** rat trap

rattraper to overtake

ravir to charm, delight

le **ravissement** rapture

un **réal** (*pl.* **réaux**) real (*Span-*

ish coin worth a few cents)

rebuter to discourage, disgust, tire

une **réception** reception, welcome

recevoir to receive, accept

une **recherche** search, quest

rechercher to seek, solicit

un **récit** tale, story, account

recommander to recommend, exhort, request; **se — à** recommend oneself to, invoke

une **récompense** reward

récompenser to reward, compensate

recompter to recount, count again

la **reconnaissance** recognition, gratitude

reconnaissant, –e grateful

reconnaître to recognize, admit, acknowledge, be grateful

le **recours** recourse

reculer to draw back, retreat

redevable indebted

redevenir to become again

rédiger to write, compose, edit

redire to say again, find fault; **trouver à — à** find fault with

redoubler to increase

redoutable redoubtable, formidable, awful

réduire to reduce, compel; weaken

un **réduit** retreat

refermer to close again;

sa **paupière se referme** her eyes are closed again

réfléchir to reflect, think

une **réflexion** reflection, thought; **faire —,** to think

un **refus** refusal

refuser to refuse

regagner to regain, return to

régaler to treat, entertain, amuse

un **regard** look, countenance

regarder to look at, consider; **— comme** consider; **— de près à** examine attentively; mind

un **régime** diet

un **registre** register; **tenir —,** to keep a record

régler to settle, arrange, pay; **se — sur** be guided by

régner to reign, rule, prevail

le **regret** regret, sorrow; **à —,** reluctantly, unwillingly

regretter to regret, miss

réitérer to repeat

rejeter to reject, refuse

réjouir to rejoice, delight, divert; **se —,** rejoice, make merry, have a good time

une **relation** account, report

relever to raise again; relieve, heighten, set off; pick up, criticize; **se —,** get up again, recover

un **religieux** monk; **un — de l'ordre de Saint-Dominique** Dominican une **remarque** remark

remarquer to remark, observe, notice

un **remède** remedy

le **remerciement** thanks

remercier to thank

remettre to replace; place, recognize; remit, hand; delay, put off; — **sur pied** cure; **se —**, recover; **se — à recommence** to; **s'en — à** defer to, wait for

remonter to remount, get up again

une **remontrance** remonstrance, piece of advice, warning

remplacer to replace, take the place of

remplir to fill, fulfil

remporter to carry away; win (*a victory*)

remuer to move, stir; **se —**, move

une **rencontre** encounter, meeting

rencontrer to encounter, meet

rendre to render, give back, restore; make; — **grâce à** thank; — **service** do a service; **se —**, go; submit, yield

renfermer to contain, hold, include

se **rengorger** to strut, look important

renoncer to renounce, forego

renouveler to renew, change

une **rente** income

rentrer to reënter, return; — **en soi-même** reflect

renversé, –e upset, upside down

renvoyer to send again, send away, dismiss, put off

repaître to feed, nourish

répandre to spread

réparer to make up for, retrieve

repartir to reply, retort

un **repas** meal

repasser to pass again; **passer et —**, walk up and down

se **repentir de** to repent, regret

répéter to repeat, recite, rehearse; **se —**, repeat oneself

le **répit** respite, rest

répliquer to reply

replonger to plunge again

un **répondant** sponsor

répondre to answer; — **de** guarantee

une **réponse** answer

le **repos** rest, sleep, peace; **laisser en —**, to let alone

reposer to rest, sleep, lie; **se —**, rest

reprendre to resume, recover; attack again; reply, continue

représenter to represent, describe, show, explain; **se —**, imagine, think

une **reprise** resumption, repetition; **à plusieurs —s** several times

un **reproche** reproach
reprocher to reproach
la **répugnance** aversion, dislike
se **résigner** to resign oneself, submit
la **résistance** resistance, opposition
résister à to resist, endure
la **résolution** resolution, decision, plan; firmness, courage
résoudre to resolve; **se —**, resolve, decide
respecter to respect, spare
respectueusement respectfully
respectu–eux, –euse respectful
la **respiration** respiration, breathing; **je n'avais pas la — libre** I was unable to breathe
ressembler à to resemble
le **ressentiment** resentment, revenge
ressentir to feel; **se — de** feel the effects of
se **ressouvenir de** to remember
le **reste** rest, remainder; **au —, du —**, besides
rester to remain, stay
restituer to restore, return
un **résultat** result
rétablir to reëstablish, reinstate; **se —**, get well, recover
retenir to retain, restrain, repress; keep, hire, reserve
retentir to resound
retirer to take back; **se**

—, retire, withdraw, go away
retomber to fall again, relapse
un **retour** return; **être de —**, to have returned
retourner to return; **se —**, turn around; **s'en —**, go back
la **retraite** retreat, retirement
retrouver to find, recover
réussir to succeed
la **revanche** revenge; **en —**, in return, to make up for it
réveiller to awaken; **se —**, awake, wake up
revenir to come back, return; recover; **il me revient** I hear
rêver to dream, consider, think
la **révérence** reverence; bow; **Sa Révérence** His Reverence
revêtir to clothe, assume, bestow, adorn
revoir to see again
se **révolter** to revolt, rebel
le **rez-de-chaussée** ground floor
la **rhétorique** rhetoric; **une figure de —**, figure of speech
le **rhumatisme** rheumatism
riant, -e laughing, cheerful
riche rich; *n.* rich person; **—ment** richly, elegantly
la **richesse** riches, wealth
ridicule ridiculous
rien nothing; *n. m. pl.* trifles

la **rigueur** rigor, severity
rire to laugh
le **rire** laughter, laugh
risible laughable, comical
le **risque** risk; **courir — de** to run the risk of
risquer to risk
robuste robust, strong
un **roi** king
un **rôle** part; **jouer un —,** to play a part
rompre to break, break off; **— un entretien** end a conversation; **— le silence** break silence
la **ronde** round; **à la —,** round about
ronger to gnaw; **— son frein** champ at the bit, fret
un **rosaire** rosary, string of beads
un **rôti** roast, roast meat
rôtir to roast
rotur–ier, –ière common, plebeian; *n.* commoner
rougir to blush
rouler to roll, ride, travel; **— sur l'or** be rolling in wealth
une **route** road; **en —,** on the way
royal, –e (*m. pl.* **–aux**) royal
un **royaume** kingdom
un **rubis** ruby
rude harsh, hard
une **rue** street

S

un **sac** sack, bag
sage wise, good

la **saignée** bleeding, blood-letting
saigner to bleed
une **saillie** sally, witticism
saisir to seize
un **saisissement** shock, attack
un **salaire** salary
Salamanque Salamanca (*formerly renowned for its university*)
une **salle** room; **— à manger** dining-room
un **salon** drawing-room, parlor
saluer to greet
le **salut** safety
salutaire salutary, beneficial
le **sang** blood
sans without
la **santé** health; **boire à la — de, porter une — à** to drink, propose a toast to
Santillane Santillana (*Spanish town on the Bay of Biscay*)
le **sapin** fir
satisfaire to satisfy
satisfaisant, –e satisfactory
satisfait, –e satisfied, pleased
un **saut** leap, jump; **ne faire qu'un —,** to hurry
sauter to jump, leap over
sauver to save; **se —,** flee, escape
savant, –e learned; *n. m.* scholar
savantissime most scholarly; very learned person
savoir to know, find out,

be able, know how; — à quoi s'en tenir know what to think *or* what to do

un **scapulaire** scapular

un **scellé** official seal (*affixed to the furniture of a dead person*)

une **scène** scene

la **science** knowledge, science, learning

un **scrupule** scruple, scruples

sec, sèche dry, lean, sharp

seconder to aid, assist

secourir to help, assist

le **secours** help, relief, assistance

le **secret** secret, secrecy; **en** —, secretly, in private

un **secrétaire** secretary

secrètement secretly

séduire to delude, deceive

Ségovie Segovia (*formerly known for its state prison*)

un **seigneur** lord; **le Seigneur** the Lord, God

la **seigneurie** seigniory, lordship

un **séjour** sojourn, stay

le **sel** salt

une **selle** saddle

seller to saddle

selon according to

une **semaine** week

un **semblant** appearance; **faire** —, to pretend

sembler to seem, appear

la **semence** seed, seeds, cause

le **sens** sense, senses, judgment, meaning, direction; **le bon** —, good sense, right mind

sensible sensitive, affected, visible

un **sentier** path

le **sentiment** feeling, mind, opinion

sentir to feel, savor of; **se** —, feel

séparément separately

séparer to separate; **se** —, leave one another, part

un **séraphin** seraph, angel

un **sergent** sergeant

séri-eux, -euse serious; *n. m.* seriousness, earnestness

un **serment** oath

un **sermon** sermon, lecture

serré, -e close, tight, oppressed; **avoir le cœur** —, to be heavy-hearted

serrer to press, hug; put away, keep, hold

une **serrure** lock

une **servante** maidservant

le **service** service, duties of a servant, housework, military service

une **serviette** napkin

servir to serve, do military service; set the table, wait on (*at table*); be of service; — **à** be used to, serve to; — **de** be used as

la **servitude** servitude, slavery

seul, -e sole, only, alone; —**ement** only

sévère severe

un **siège** seat

signer to sign

signifier to signify, mean

silenci–eux, –euse silent
simple simple, single, only, ordinary; silly, simple-minded
la **simplicité** simplicity, credulity
sincère sincere
la **sincérité** sincerity
sinistre sinister, ill-omened
sitôt as soon; **ne ... pas —,** no sooner; **— que** as soon as
la **situation** situation, condition
la **soie** silk
le **soin** care; **avoir** *or* **prendre — de** to take care of, take care to; be sure to
le **soir** evening, afternoon
soit either, or; **— que** whether, or
un **soldat** soldier
le **soleil** sun
solide solid, sure, sound
solliciter to solicit
une **somme** sum, amount
le **sommeil** sleep; **avoir —,** to be sleepy
sommer to summon, command
songer to dream, think
sonner to sound
le **sort** fate, lot, destiny
la **sorte** sort, kind; **de — que, en — que** so that
une **sortie** departure, exit
sortir to go out
sot, sotte foolish, confused; *n.* fool
se **soucier** to care, worry
souffler to blow, blow out; cheat, rob
souffrir to suffer, endure,

put up with, permit; **souffrez que je ...,** allow me to ...
un **souhait** wish
souhaiter to wish
soûl, –e full, satiated; *n. m.* **manger son —** (*the l is not pronounced*) to eat one's fill
soulager to relieve, assuage, comfort
un **soulier** shoe
soumettre to subdue, submit, overcome; **être soumis** yield, submit
un **soupçon** suspicion, surmise
soupçonner to suspect, surmise
souper to sup, eat supper
le **souper** supper
un **soupir** sigh, gasp; **rendre le dernier —,** to breathe one's last, die
soupirer to sigh; **— après** long for
la **souplesse** suppleness, flexibility
une **souquenille** long cassock (*made of coarse cloth*); worthless garment
une **source** source, spring, origin, cause
sourd, –e deaf, insensible
sourire to smile
une **soutanelle** short cassock
soutenir to sustain, support, uphold, maintain, assert
souterrain, –e underground; *n. m.* cave, underground den
se **souvenir (de)** to remem-

ber; **il m'en souvient** I remember

souvent often

un **spécifique** specific, cure

spirituel, –le witty

le **style** style

subsister to subsist, live

le **succès** success; result

un **successeur** successor

succomber to succumb, die

succulent, –e succulent, savory, juicy

le **sucre** sugar

la **sueur** sweat, perspiration

suffire to suffice, be sufficient

le **suffrage** approbation, commendation

la **suite** sequel, result; retinue; **dans la —**, later, subsequently; **tout de —**, immediately

suivant according to

suivant, –e *adj.* following

suivre to follow, accompany

un **sujet** subject, person, reason, occasion, topic

superbe superb, magnificent

supérieur, –e superior, upper

un **suppliant** supplicant, petitioner

le **supplice** corporal punishment, torture, torment

supplier to beseech, entreat, beg

sur upon, on, over, by, in, about, towards

sûr, –e sure, certain, safe; **—ement** surely, certainly

un **surcroît** increase, excess; **pour — de bonheur** to cap the climax

la **sûreté** safety; **en —**, in safe keeping

surpasser to surpass

surprendre to surprise, deceive, catch

un **sursaut** start; **se réveiller en —**, to awake suddenly

surtout above all, especially

survenir to happen, chance, arrive

suspect, –e suspected, suspicious

une **syllabe** syllable; **sans répondre une —**, without saying a word

T

une **table** table; **tenir — ouverte** to keep open house

une **tablette** shelf

tâcher to try

la **taille** size, build

un **tailleur** tailor

se **taire** to be silent, remain silent

tandis que while, whereas

tant so much, so many, so long, so far, to such an extent

une **tante** aunt

tantôt presently, soon; a little while ago, just now; **—...—**, first ... then

tard late; **il se fait —**, it is getting late

tarder to delay, put off;

ne pas —, ne — guère à not to be long in
une tasse cup
tâter to feel; — quelqu'un try, sound someone out
un taudis miserable lodgings
tel, telle such, similar; — que such as, as, like
la témérité temerity, audacity
le témoignage testimony, witness, evidence; rendre —, to bear witness
témoigner to testify, show, express, declare
la tempe temple
une tempête tempest, storm, dissension
le temps time, season, weather; de — en —, from time to time
tendre adj. tender, affectionate, loving; —ment tenderly, lovingly
tendre to stretch, extend; set, lay
les ténèbres f. pl. darkness, gloom
tenir to have, hold, contain, fit; utter, pronounce; tiens here, well; tenez hold on, look here, well; — conseil confer, deliberate; — de take after, be of the nature of; — à be anxious to, be fond of; il tient à it depends on; se —, stand, stay; s'en — à be satisfied with
une tentative attempt, endeavor

tenter to attempt, try, tempt
un terme term, expression, limit, end
la terre earth, ground, property, estate; clay; à —, par —, on the ground
un testament testament, will
un testateur testator, one who makes a will
tester to make a will
la tête head, front; se mettre dans la —, to take it into one's head, have an idea
un théâtre theater, stage, scene
tirer to draw, pull, take, take out; fire; receive, conclude, infer; — à sa fin be nearly over or gone; be at the point of death; — les vers du nez pump; se —, get out
un titre title
la toile cloth, linen cloth
Tolède Toledo
un tombeau tomb
tomber to fall, sink, fail
un ton tone, voice; ne le prenez pas sur ce —-là don't take it that way, don't say that
un tonneau cask
tordre to twist, twist convulsively
le tort wrong; avoir —, to be wrong
la torture torture, rack; mettre à la —, to torture, put on the rack
tôt soon, shortly

toucher to touch; receive (*money*); say; move, affect

toujours always, still

un **toupet** tuft of hair

une **tour** tower, donjon, keep

un **tour** turn, trick, feat, trip

tourmenter to torment, torture, pester

tourner to turn, wind; — **en ridicule** ridicule; **la tête lui a tourné** he has lost his senses; **se** —, turn, address

tousser to cough

tout, –e (*m. pl.* **tous**) *adj.* all, whole, every, each; *pron.* all, everything; *adv.* entirely, very, however, as; — **à fait** quite, completely; **du** —, at all

toutefois however, nevertheless

une **toux** cough

un **train** pace, rate; **en** — **de** in the act of; **mener bon** —, to set a lively pace

traîner to draw, drag; — **une vie mourante** languish; — **les choses en longueur** prolong matters

un **trait** line; draft, gulp; shaft of wit, jest; *pl.* features

traitable tractable, docile

traiter to treat, entertain; take care of; discourse, discuss

un **traiteur** proprietor of a restaurant

un **traître** traitor, scoundrel

une **traîtresse** traitress, perfidious woman

les **tranchées** *f. pl.* colic

trancher to cut off; — **le mot** speak frankly; — **de** play the part of

tranquille quiet, calm, easy; —**ment** quietly, calmly

la **tranquillité** tranquillity, peace

transcrire to transcribe, copy

le **transport** transport, emotion, rapture

transporter to transport, carry away, enrapture

une **trappe** trap-door

le **travail** work, labor

travailler to work

le **travers** breadth; **de** —, obliquely, awry; **regarder de** —, to look askance at, look angrily at; **au** — **de** through

traverser to cross, pass through

tremblant, –e trembling, frightened

un **tremblement** trembling, agitation

trembler to tremble, fear

la **trempe** temper, stamp, quality

tremper to dip, steep, dilute

très very; most

un **trésor** treasure, treasury

un **trésorier** treasurer

une **trêve** truce; — **de** no more

trinquer to clink glasses, drink

triste sad, sorry, dull, dim

un **troc** exchange

tromper to deceive, frustrate; **se** —, be mistaken

tromp–eur, –euse deceitful, false

trop too, too much, too many

troquer to exchange

un **trot** trot; **au grand** —, at a lively pace

le **trouble** confusion, uneasiness

troubler to trouble, disturb, frighten

une **troupe** band

un **troupeau** flock

trousses: aux — **de** in pursuit of, at the heels of

trouver to find, discover, think, judge, consider; — **bon** approve; — **mauvais** disapprove, object; **je lui trouvais l'air d'un homme de qualité** he looked to me like a gentleman; **se** —, find oneself, be, feel

une **truite** trout

tuer to kill

à tue-tête with all one's might, at the top of one's lungs

U

unique only, sole

universel, –le universal

une **université** university; **l'Université** teaching profession

l'usage *m.* use, custom, practice

user to wear out, consume, destroy; — **de** use; **en** — **avec** treat

un **ustensile** utensil

utile useful

l'utilité *f.* utility, usefulness, service

V

vacant, –e vacant

vain, –e vain, useless, proud

la **vaisselle** tableware, dishes, silverware

Valence Valencia

un **valet** valet, servant; **un** — **de pied** footman, lackey

une **valise** valise, portmanteau

Valladolid *a town in Spain renowned for its cathedral and university*

valoir to be worth; **faire** —, turn to account, make pay; — **mieux** be worth more, be better; — **la peine** be worth while

la **vanité** vanity, conceit

vanter to praise, extol

vaste vast

la **veille** day before

veiller to watch, stay awake; — **un malade** sit up with a sick person

le **velours** velvet

vendre to sell, betray

venger to avenge, revenge; **se** —, be revenged

venir to come; **faire** —, send for; **voir** — **quelqu'un** hear what someone has to say, read

VOCABULARY

213

someone's thoughts; — **de** (*with infin.*) have just
le **vent** wind; **avoir — de** to get wind of
le **ventre** belly, stomach
un **ver** worm
véritable true, real; **—ment** truly, really, in fact, to tell the truth
la **vérité** truth; **à la —**, it is true, to tell the truth
un **verre** glass
un **vers** verse
vers toward, about
verser to pour; **— à boire** serve drinks
vert, –e green
la **vertu** virtue, faculty, efficacy
vêtir to clothe, dress
une **veuve** widow
la **viande** meat
une **victime** victim
une **victoire** victory
vider to empty
la **vie** life; **de la —**, *or* **de ma —**, *etc.* in my life, ever
un **vieillard** old man
la **vieillesse** old age
vieillir to grow old
vieux (vieil), vieille old
vif, vive alive, lively, quick, animated, keen
la **vigilance** vigilance
vigour–eux, –euse vigorous
la **vigueur** vigor
vilain, –e ugly, infamous, wicked
une **ville** city, town
le **vin** wine

une **vingtaine** about twenty
violemment violently
violent, –e violent
une **virgule** comma
un **visage** face, countenance
vis-à-vis de opposite
une **visite** visit
visiter to visit
vite quick; quickly
la **vitesse** speed
la **vivacité** vivacity
vivement keenly, deeply
vivre to live; **vive Dieu!** *a mild oath*
un **vizir** vizier (*minister in Mohammedan countries*); **le grand —**, prime minister
une **vocation** vocation, call, inclination
un **vœu** wish, prayer
voici here is, here are
voilà there is, there are; **comme vous —!** what a figure you cut!
voir to see, visit, treat, travel through, find, understand; **faire —**, show; **se —**, find oneself, be
voisin, –e neighboring, adjacent, next
le **voisinage** neighborhood, vicinity, neighbors
une **voiture** carriage
la **voix** voice
un **vol** robbery, stolen goods
voler to fly, hasten; steal, rob
un **voleur** robber; **un — de grand chemin** highwayman, brigand
la **volonté** will, desire; **les**

dernières —s last will and testament
volontiers willingly, gladly
un **volume** volume
la **volupté** sensuality, physical pleasure
vouloir to be willing, wish, want, demand, attempt; — **bien** consent, permit; — **dire** mean; **en** — **à** be angry with, have a grievance against, be displeased with
une **voûte** vault, arch
un **voyage** voyage, trip
voyager to travel

un **voyageur** traveler
vrai, –e true; —**ment** truly, really, indeed
la **vue** view, sight, eyes; **à** —, at sight; **à** — **d'œil** visibly, perceptibly

X

Ximénès *see* **Notes**

Z

le **zèle** zeal
zélé, –e zealous